影响世界的人

康熙

Kang Xi

朱秀芳 著 林鸿尧 绘

译林出版社

图书在版编目(CIP)数据

康熙 / 朱秀芳著. —南京：译林出版社，2013. 11
（影响世界的人）
ISBN 978-7-5447-4493-5

Ⅰ. ①康… Ⅱ. ①朱… Ⅲ. ①康熙帝（1654~1722）-传记-少儿读物 Ⅳ. ①K827=49

中国版本图书馆CIP数据核字（2013）第229709号

书 名 康熙
作 者 朱秀芳
责任编辑 宋 旸
特约编辑 梁欣琢
原文出版 联经出版事业公司
出版发行 凤凰出版传媒股份有限公司
译林出版社
出版社地址 南京市湖南路1号A楼，邮编：210009
电子邮箱 yilin@yilin.com
出版社网址 http://www.yilin.com
经 销 凤凰出版传媒股份有限公司
印 刷 江苏凤凰盐城印刷有限公司
开 本 889毫米×635毫米 1/16
印 张 10.75
插 页 4
字 数 89千
版 次 2013年11月第1版 2013年11月第1次印刷
书 号 ISBN 978-7-5447-4493-5
定 价 25元
译林版图书若有印装错误可向出版社调换
（电话：025-83658316）

导读

"中央"大学学习与教学研究所
柯华葳

读传记的目的不论为何，总要弄清楚传记主人是谁，为什么值得有人为他作传，他的特色是什么，为什么会有这些特色，以及传记中的描述与评论是否可靠。

本书主人是康熙，他八岁做皇帝，在位六十一年，在中国历史上能当这么久的皇帝，一来要身体健康长寿，二来要有相当能耐。显然康熙两者皆有，这就值得为他作传了。

在这么长的岁月中，康熙做了哪些值得记录下来的事？

——康熙二十年平定在中国云南、福建、广东据地为王、威胁清廷的三藩。

——康熙二十三年收回澎湖和台湾，并设立行政机构。

——康熙二十四年开始驱逐长年侵犯东北的罗刹（俄国），直到康熙二十八年，双方签订《中俄尼布楚条约》，保住东北领土。

——康熙三十五年，皇帝亲征在中国西北一直与俄皇有勾结的噶尔丹，统一西北地区。

看来，康熙在位的六十一年至少有三十四年都在为疆土辛苦征战，这还不是最辛苦的。八岁登基的康熙，因为年纪小，当时设有辅佐其执政的“辅政大臣”，但是大臣各有所觊觎，其间争执与纠纷不断，加上鳌拜的嚣张，无视康熙的存在，让人读得心惊胆颤，可以想象幼年皇帝心中的委屈与危机感。这当中的宫廷政治学，包括娶妻、解决西藏喇嘛问题等，甚至可以说是勾心斗角。

除了外患与宫中内乱，不断的天灾更是皇帝的大考验。黄河、淮河的水患一直是民间疾苦的来源之一。政府不是不治水患，但不是没有谋划好，就是治水方法不对。康熙治水初期有一大问题，即派去治水的大官拿到治水银两后，多为中饱私囊。这些官员认为多年来一治完水，水患一来又冲毁，一切回到原点，治不治差别不大。为真正治好水患，康熙找到大臣靳辅。靳辅研究过去治水的利弊得失，调查各地百姓的看法，写出一套详细治水计划，康熙觉得合理，给他一大笔钱，但这自然会引起其他官员非议。一场政治拉拔战，让工程做做停停，甚至劳驾康熙亲自出巡督工，直到康熙五十岁写道：“河工事告成”，工作才暂告一段落。此时皇帝本应可以松一口气，但不幸的是当了太子四十年的儿子胤礽想登基做皇帝。一场皇位战，不但要保自己还要保他心目中的继承人，这当然使康熙再次陷入伤心与痛苦中。

看康熙经历的这些事，不免叫我想起俗语称一个人命好为“皇帝命”，说他像皇帝一般享福。然而，康熙皇帝的命运显然是一直处在动荡与计算中。困难虽多，但不可否认的是，康熙勇于面对，最终克服重重难关。

难能可贵的是，康熙几乎每天都找时间读书。即使日理万机（包括亲自阅读与批示每一本奏折），他至少每两天与宫中老师讨论一次学问，既向中国老师学习也向外籍老师学习。我们可以想象康熙皇帝“手不释卷”的样子。康熙向外国传教士学习数学、几何、拉丁文、世界地理、各国状况。学到的知识，马上实践，如搜集气象资料、绘制《皇舆全览图》（中国地图），以科学精神判断《时宪历》比传统的《大统历》和《回历》正确。这些知识都帮助康熙在处理国事，如治水和制作新火炮上有帮助，更重要的是对其思考逻辑有帮助，例如他接受解剖学与西药。他也派使者到欧洲考察，得到中国人看欧洲的第一手资料。当然康熙也鼓励外籍教士将中国的古书翻译成外文传到外国。

康熙的好学有目共睹。康熙将学到的知识编辑成书，也整理古籍和自己的笔记、读书心得加以出版。今天我们还读的《古今图书集成》、《康熙字典》就是这位有见识的皇帝的成就之一。在传播知识上，康熙的编辑与出版工作是被后代肯定的。这也算是康熙的特点，好学且善用知识，值得书写一番。

但是内乱外患不断，康熙怎么能保持不间断的学习，他又如何解决各种难题？不可否认的是，孝庄皇太后在宫中经历三朝皇帝，学到许多宫中处事待人的方式，了解大臣间的恩恩怨怨，在一旁“盯住”宫廷状况，帮助康熙渡过许多危机。但是我们无法想象康熙“四岁的时候就早晚读书，没有一天休息”，甚至“读书累到咳血”。这是怎样的孩子？天赋异禀？意志坚强过人？还是皇太后严苛过人，造就康熙？当然另一可能是写史的人言过其实。这些要各位读者自己去判断了。可以肯定的是，康熙从小做皇帝，越来越清楚自己该有的作为，因此他无论是读书还是处理国事，都有一个清楚目标：使人民有安定的生活。

本书作者朱秀芳老师热爱学生，因此她的文字中不难看到“好为人师”的影子。她揣测学生读者可能不懂某一些名词或背景，会加以注解。书中关于康熙学习的篇幅相对显多，是朱老师对小读者的期许。此外，书中她写下一些评语，也是希望孩子去学习。

读完这本书，我们佩服康熙，亦觉得他的一生不可思议。皇帝虽离我们很远，但是领导者离我们不远。当今社会中每个人都有机会做领导者。读读康熙的故事，或许会对我们有所启发。

目录 CONTENTS

前言

八岁。

八岁的你正在做什么？你可能在央求爸爸多一点时间给你玩电子游戏。你可能在学习骑脚踏车。你也可能在做简单的数学乘法计算，或是在背九九乘法表。

八岁的孩子处处需要大人的保护。

如果爸爸妈妈把八岁的你放在家中，还会触犯《未成年人保护法》，因为你是一个必须接受保护的小孩，大人不能把你一个人丢在家里！但是八岁的玄烨，已经接掌一个国家，当起了清朝的第三任皇帝。

玄烨就是清朝圣祖康熙大帝！他不是要受人保护，而是要保护一个国家。

中国有历史记载的朝代分别是：三皇五帝、夏、商、周、秦汉三国、两晋南北朝、隋唐五代十国、宋、元、明、清。其中清朝是中国历史上最后一个帝国，而玄烨在这个庞大的帝国中，担任了六十一年的“天子”（1662年至1722年）。

康熙是中国历史上在位最长的皇帝，也是一个出色的皇帝。我们一起来看看康熙皇帝的故事！

战胜天花的小天子

现在的小朋友小时候就开始注射各种疫苗，预防传染病的发生。而在四百多年以前，当传染病流行的时候，大家都以为自己冒犯了祖先，触怒了天神，所以他们来索命；虽然不甘心，却不得不离开人世。而且传染病一旦流行，还有整个村子的居民都死光的记录。

满洲人特别恐惧天花[1]。这种传染病连大人都逃不过，那个时代也没有预防的疫苗。所以满清的宫廷中还特别奉祀“痘神娘娘”，其他的地方也另设庙坛，祈求神明保佑。

顺治十一年（1654年）的暮春季节，顺治皇帝的第三个小皇子

1 天花是一种传染病，潜伏期约十天到十四天。发病后先是寒冷，再是高烧。然后开始发红斑，长水痘。化脓之后结痂，患病过程痛苦，很多人死亡，即使幸运活下来的人也会留下疤痕。

玄烨出生了。这个小孩并没有得到爸爸的疼爱，反而让顺治皇帝[1]觉得非常累赘，因为这一段时间正是北京城天花流行最严重的时候。因为担心玄烨也染上天花恶疾，顺治皇帝就降旨让玄烨和他的奶妈搬到紫禁城西郊的一座古庙中，想着隔离之后，罹患天花的几率应该会比较小，也希望等到疫情过了之后再让他们返回皇宫。

玄烨小小年纪就和父母分别，没有享受到父母的关爱。因为他的父亲又另外有了爱妃，而把玄烨的亲生母亲佟佳氏给冷落了，所以玄烨从小就只能和乳母相依为命[2]。玄烨的乳母对玄烨照顾得无微不至，就像待自己的亲生儿子一般。

尽管已经搬到城外去避难，但是在两岁那年，玄烨还是染上了天花，没料到在乳母的细心照料之下，又奇迹似的和死神擦身而过。所以他五六岁之后才返回皇宫生活。

虽然玄烨的脸上留下了明显的痘痕，但是得过天花的玄烨，无意间为自己拿到一张继承皇位的通行证。为什么呢？因为玄烨的父亲顺治皇帝是因为染天花而死，因此朝廷上下对天花这样的恶疾，当然更加恐慌。

顺治爷自己在当皇帝的时候，虽想过王位继承人的事，却没有

1 顺治皇帝是皇太极的儿子，名叫福临，六岁就已经当皇帝，朝政由他的叔叔多尔衮协助。他的父亲皇太极和祖父努尔哈赤，在山海关外建立的国号是“金”。1644年清军进入山海关内，顺治皇帝开始了大清王朝。顺治皇帝死于1661年2月。

2 玄烨是顺治皇帝和佟佳氏所生，佟佳氏并非皇后，所以玄烨和父母亲极少有机会相处。

立下太子或说过谁适合当皇帝的继承人。因为他自己万万也没想到，他会在年纪轻轻二十四岁就离开人间，所以没把继承人的事交代清楚。

说来巧合，在玄烨六岁的时候，有一天顺治皇帝要三位皇子讲出自己的志愿。大皇子说："我希望当一个大将军，为了父皇出生入死，平定四海。"二皇子说："我希望当一个贤明的亲王，在自己的藩地上有所作为。"三皇子玄烨说："我愿意秉承父皇的志业，攘外安内，创造万世不拔的一番事业。"大家都没想到一个六岁的孩子会讲出这样的话，只觉得玄烨小小年纪竟有这么大的志向，有点不可思议。不过顺治皇帝不会太惊讶，因为他本人就是六岁时当皇帝的。所不同的是那时候他有母后孝庄皇太后[1]在一旁陪伴他、极力保护他，而玄烨却是父母都不疼的人。

顺治皇帝的继承人就是玄烨。这个过程有点曲折，但终究玄烨是孝庄皇太后最中意的人。

清军入关[2]的时候，本来在明朝朝廷中工作的外国人也一起跟着投降，有的人继续留在清廷工作。其中有一位德国天主教徒汤若

1 孝庄皇太后是皇太极之妃。生下福临，即后来的顺治皇帝，所以被封为"孝庄皇后"。顺治帝死后，她全力支持康熙继位，她是康熙的皇祖母，被称为"太皇太后"。她一生经历太宗皇太极、世祖顺治、圣祖康熙三朝。

2 清军入关是指1644年中国东北以满族为主体的少数民族政权清朝的军队，在明朝将领吴三桂的带引下大举进入山海关内、攻占北京，它标志着清王朝在全国统治的开始。

望[1]，他曾为明朝的崇祯皇帝铸造二十门大炮，是一个很受朝廷重视的传教士。他也深受清朝皇家的赏识，引进西洋钟和望远镜，还把阳历带入中国。连顺治皇帝都称他“汤玛法”，也就是满洲语的“汤爷爷”的意思，可见他和皇家交情之深厚。

孝庄皇太后询问汤若望的意见。这位外国传教士以科学家的精神说：“我认为，玄烨已经得过天花，身体有了免疫力，这个小孩，将来得病的几率必然比较小，对皇室一定有帮助。”孝庄皇太后采纳了他的意见，加上顺治皇帝死于天花，所以他们一定要避免天花夺命的悲剧重演。既然玄烨已经不会再得类似的病，他的继位也就更值得庆贺。

孝庄皇太后力挺小天子

如果没有孝庄皇太后，就不会有康熙皇帝了！孝庄皇太后在儿子顺治六岁的时候辅佐他当皇帝，现在又必须辅佐自己的孙子玄烨当皇帝。孝庄皇太后的丈夫、儿子、孙子都当过满清的皇帝。

八岁的玄烨要继承大清的皇位，孝庄皇太后当然必须负担辅佐他的神圣使命。顺治皇帝死后，孝庄皇太后力主“国不可一日无君”，所以在次日就让玄烨继承了皇位。他在朝中大臣及礼部官员的

1 汤若望(Joannes Adam Schall Von Bell，1591—1666)，他在明朝天启中期来华传教，熟悉中文，精通历法，清朝时在钦天监工作，引进新历法。

簇拥下，穿着龙袍，戴着皇帽从容地登上皇位，并以“康熙”为年号。

玄烨因为小时候就染过天花，这样的劫难没有打败他，所以他拥有坚强的毅力和无比的勇气。四岁的时候，他就早晚读书，没有一天休息，还曾经读书累到咳血，真是勤学不辍。到了五岁，玄烨开始进入御书房读书，他的祖母孝庄皇太后“望孙成龙”，对他的教育非常严格，尤其重视书法和背诵古书。

玄烨即位之后，孝庄皇太后立刻变成为“太皇太后”，也就是玄烨称呼的“皇祖母”。因为康熙年幼，太皇太后特别任命四位大臣辅佐玄烨[1]，这四位大臣是：索尼、苏克萨哈、遏必隆、鳌拜。

有一次，太皇太后问康熙：“你继承皇位之后有什么志向？”康熙回答说：“我只希望天下太平，人民安居乐业，大家一起享受大清之福。”太皇太后十分惊讶一个不满十岁的孩童，居然能说出这样贴切的道理，就非常放心，自己也不必“垂帘听政”，而是真的交由四位大臣辅佐他。

清朝的皇帝不一定要传位给自己的儿子，所以如果不是孝庄皇后的坚持，说不定清朝的第四任皇帝是顺治的堂兄岳乐而不是康熙，可以说玄烨就是皇祖母力挺的小天子！

1 依照大清的祖制，若皇帝还无法亲政，则由议政大臣数人辅佐，综理朝政。

辅政大臣各有心机

康熙帝国的四位顾命大臣和皇室有不同的渊源。索尼是康熙的外叔公，苏克萨哈是朝中大老臣，遏必隆、鳌拜都曾经跟随先皇征战，有辉煌的功绩。

康熙皇帝即位之后，有一晚，太皇太后请四个辅政大臣共商国事。太皇太后在慈宁宫大堂等候。四位大臣鱼贯而入，向太皇太后跪安。太皇太后说："这里是内宫，四位大臣不必多礼！"这时鳌拜就发话了："太皇太后深夜召见，一定有重要的事吧！"鳌拜声如洪钟，一双鹰眼闪烁，胡须浓密，气势非常吓人。太皇太后说："惊扰四位的休息，实在不好意思！但因为我心有不安，所以还是要和各位谈一谈。"索尼谦恭地说："太皇太后不必客套，如有需要，请太皇太后吩咐，臣必全力以赴，万死不辞。"索尼谦和优雅，只有饱学之士才会有这样的气质。太皇太后说："当今皇上年纪太小，国内又不太安宁，朝中也有人想谋取皇位，希望四位大臣能辅佐皇上，使大清繁荣昌盛。"

这时索尼、苏克萨哈、遏必隆三位大臣立刻伏拜太皇太后，非常恭谨地回答："我们受到先皇的照顾，现在当然会全力辅佐当今皇上，效犬马之劳。"只有鳌拜站直身躯，不愿跪拜，而且还扯开嗓门说："太皇太后不必担心，朝中的大小事全部交给我们处理，以我们的能力，不会辜负先皇的重托。"苏克萨哈看到鳌拜这样嚣张

无礼，就提醒鳌拜要注意宫廷的礼仪。没想到鳌拜又提高音量说：“这是内宫，不是朝廷，刚才太皇太后已经说不必客套！”鳌拜又说：“我鳌拜军队出身，不拘小节，但我忠心耿耿，效忠皇室，太皇太后不会介意吧！”本来苏克萨哈还要教训鳌拜，不过遏必隆也站了起来，说：“既然太皇太后都说不拘小节了，苏大人何必为难鳌拜？”

这样一来一往，太皇太后已经很清楚地知道这四位大臣辅佐康熙，是福是祸了。

太皇太后劝他们不必为这样的小事争执，同时也拜托四位大臣以大局为重，没想到鳌拜却抓住机会，向太皇太后要求更换“圈地”[1]。大清把皇室及满族的人分为八旗[2]，赐封不同的圈地，有功大臣、皇室子孙等都有份。当然土地总有大小好坏分别，收成不同，各个圈地的主人难免有意见。

太皇太后对这件事没有立刻做定夺，她说这样的事，要请议政王大臣一起讨论。但是很明显，辅政大臣已经把自己的利益看得比辅佐康熙还要重要。

---

1 清朝授与八旗官兵的、以绳子围起来的一块地。满清的族人入关之后，清廷为了安顿他们的眷属，就把北京五百里内的土地都划归皇室所有，原本的汉人就迁移到其他的地方。结果变成汉人流离失所，但原来的东北沃土，却无人耕种。

2 八旗是清代的兵制。清太祖时分为黄、白、红、蓝四旗。后来人数众多，又分为镶黄、镶白、镶红、镶蓝等四种，称为八旗。

康熙和他的小玩伴

辅佐大臣们对朝政有许多不同意见，也经常有纠纷。康熙皇帝还不能亲政，所以就由大臣们决定重要的国事。康熙皇帝虽然心里有些不愉快，但也不能说什么。

有一天太皇太后向康熙说："今天，鳌大人居然把倭赫送到敬事房，而且他的父亲费扬古一家人也全部受害。"康熙愤怒地说："我根本不知道这件事，鳌拜凭什么抓倭赫？"

倭赫是康熙的御前侍卫，他是费扬古的儿子。因为费扬古在朝廷上发言，批评鳌拜对换"圈地"的做法有违大清的祖制，被鳌拜列为必须铲除的对象。他在朝中找不到费扬古的缺点，所以就找他的儿子开刀，再借着倭赫的事株连家族。

有一天倭赫随着康熙皇帝到景山射猎，康熙因为喜欢倭赫所骑的马，就要把自己的马和他的马交换，虽然倭赫不敢这么做，但是康熙是皇帝，他提出的要求也不能拒绝，因此他就以康熙皇帝的马来代步。鳌拜知道了这件事之后，就利用这件事，把倭赫当成一个朝廷要犯来处理。他不但把倭赫直接送到敬事房问罪，而且还把他的家人全部定罪铲除。

康熙皇帝知道倭赫家人遇难的事，既伤心又难过。康熙皇帝对太皇太后说："倭赫骑我的马，用我的弓，都是我的旨意，鳌拜凭什么抓倭赫？"太皇太后回答说："鳌大人说得理直气壮，好像他为

我们朝廷立下多大的功劳。因为他认为这样做，才能端正朝廷的纲纪。”“可是他自己不对皇祖母跪安，和皇祖母讲话没有分寸，有违君臣伦常，甚至和我说话时也毫无敬畏之心，这样的态度，比倭赫骑我的马还要过分！”康熙的愤怒，写在他的脸上。太皇太后对康熙说：“只有你小心翼翼地度过这一段时间，才能保证你自己的安全，因为等到你长大亲政之后才有机会处理鳌拜，让鳌拜不再干预朝政！”

倭赫死了，费扬古也被杀头，年幼的康熙皇帝一想到血光，就在半夜惊醒哭闹，还要乳母孙氏陪着他睡觉呢。

倭赫的死及其一家人受到的委屈，让康熙决定要好好对抗这个朝中最霸道的人，因为鳌拜已经为了换圈地的事，用不同的凶恶手段杀掉许多忠臣。连原本辅政的四位朝中大臣，都变成两派，互相抗衡。小天子的好朋友死了！对康熙来说，他已经快要长大了！

康熙皇帝不愿意这样受到侮辱，就想找机会把他该有的国君尊严找回来，所以他去找鳌拜理论。没想到鳌拜又结结实实地给了康熙皇帝一顿训词。鳌拜说：“皇上现在并未亲政，按照祖制，一切事务都应交由辅政大臣处理，皇上不得过问！”他的这几句话，让康熙无以反驳，只能按住心头之火，默默承受。

自选布库当心腹

满人很重视打猎和摔角[1]，所以所有的官兵或满洲人在平时也都有这一些活动。摔角在满洲话里称为“布库”，依照满洲人的习俗，八旗将士都要精通布库，这样才能表现出满洲人的勇猛善战。为了鼓励更多人学布库，在宫廷或大官的宴会当中，都会有布库表演的余兴节目，让所有的来宾观赏。有一回慈宁宫举行宴会，太皇太后、康熙皇帝和许多王公贵族都来参加。大伙儿酒酣耳热之后，当然又有布库表演，让大家尽兴欣赏。一对一对的布库两两互相较劲，康熙皇帝看得目不转睛。大家的欢呼声不断，为场中的选手加油。加油声越大，所有的布库也就更用心地表演。康熙皇帝忽然看见一对布库选手的姿势非常特别。因为他们两人身手矫健，头脑清醒，每个动作都非常果断犀利，几回合下来几乎是不分胜负，赢得大家的喝彩!

康熙对太皇太后说：“皇祖母能不能把这一对布库赏赐给我?他们太棒了。”“你要这些布库做什么?”太皇太后说，“宫廷内每次宴会都有布库表演，你想看这样精彩的表演机会多得是!”

康熙心中的愿望并没办法在这样的场合向皇祖母说清楚，因为他希望开始建立属于自己侍卫亲信，他希望找到一些强壮又有智慧

1 摔角和摔跤有所不同，这里的“角”包括拳打、肘击、抛摔等几乎所有徒手格斗的技法。

的侍卫。现在的侍卫都是辅政大臣选给他的，不是真正能听他指挥的侍卫，严格地说，还真的有一点像被监视的感觉。

“皇祖母，我希望自己也学会布库的好功夫，这一对布库的功夫不错，就让我带他们回宫中，请他们教我几招。”康熙又说。太皇太后答应了。康熙皇帝有了自己挑选的第一对侍卫，他们的名字分别是明珠和索额图，索额图还是辅政大臣索尼的儿子。康熙皇帝立刻封这两位布库为“御前侍卫”。他们除了要保护皇上，还要教皇上一点武功，陪皇上锻炼身体。

康熙娶亲

有一天，太皇太后找康熙皇帝到慈宁宫，对他说：“皇上，你已经到大婚的年龄了，我应该为你找一个合适的人许配给你。依照大清的规矩，你大婚之后就能亲政[1]了，这样才有自己的权力！”康熙因为自己也想早一点“亲政”，就问太皇太后：“皇祖母心中是不是有了人选？”“玄烨，你在这一段期间，虽然有皇上的名位，但是大权都落在几位辅政大臣的手里，鳌拜现在已经不把皇上看在眼里，他不仅借机杀害忠良，还大胆到自己替你写圣旨，难保他不想自己一手统管天下。”太皇太后语重心长，让康熙皇帝有了危机意识。“皇祖母，那就由您作主吧！”

1　按照清朝祖制，皇帝结婚后就可以自己管理朝政，称为“亲政”。

太皇太后面对宫中的人事争夺，大臣们的互相勾结或互相残害，已经有了深谋远虑，她想要借着康熙的大婚，找到一个有权势的亲家，这样才能给康熙皇帝更多的实力。

太皇太后对康熙说："就娶赫舍里氏吧！她是索尼的外孙女，如果你娶了赫舍里氏，索尼就是你的外公，这样必能为你的亲政助力！"康熙似懂非懂地皱着眉头，因为他不知道自己娶一个皇后，还需要看她外公是谁。太皇太后又说："赫舍里氏容貌出众，行为端庄，是一个贤淑的女人，你能与她成婚，是大清的福气。"

"可是，我不懂的是，索尼大人他一再屈居鳌拜之下，身为辅政大臣的他，对我并没有实际的帮助。他处处明哲保身，就算我娶了他的孙女赫舍里氏，又有什么好处！又能改变什么吗？"康熙皇帝不解地问。"索尼大人是不会甘愿屈居鳌拜之下的！"太皇太后说，"他现在明哲保身，就是最高明的办法。你看苏克萨哈摆明和鳌拜对抗，结果他的手下都被鳌拜害死了！皇上明明知道鳌拜陷害忠良，却也拿他没办法呀！"太皇太后又分析现况给康熙皇帝听："索尼大人努力保住了他自己的性命和实力，先收敛锋芒、隐藏自己，再找机会和鳌拜对抗！这样的做法才是聪明的。"

康熙皇帝点点头说："玄烨现在终于了解皇祖母的用心，我现在不仅还没办法对付鳌拜，还得和他保持友好关系。将来我娶赫舍里氏为妻，等于是拉近了和索尼大人的距离！"经过太皇太后的分析，才十四岁的康熙皇帝，也真的懂这样的大道理了，人心险恶，他也不

得不防备势力庞大的鳌拜。

鳌拜也有一肚子怨气，因为他自己的亲生女儿也可列入选妃之列，也有机会当皇后的，他原来的如意算盘还希望康熙来当他的女婿呢！所以他对于康熙皇帝选索尼而不是他当亲家，心底也有说不出的怨气。

那年的七夕，康熙皇帝的下聘队伍到赫舍里氏家，在众人欣羡的目光中，赫舍里氏就要变成皇后了。九月初八，康熙皇帝和赫舍里氏结婚了！

按照朝廷的规矩，康熙大婚之后，他已经可以亲政，而不需要辅政大臣操心了。

晨曦中，刚结婚的康熙就在弘德殿出现了！弘德殿是康熙第一天上朝的地方。身穿龙袍的康熙皇帝在侍卫簇拥下登上了雕花龙椅。大臣们看见了康熙，纷纷下跪迎接，满朝文武官员，无不高呼“万岁”，跪地叩首，向年轻的皇帝请安。“万岁”声响彻云霄，余音缭绕，表示大家欢迎康熙皇帝自己开始处理朝政。康熙皇帝自己也有一点紧张，整理一下心绪之后，他大声说道：“众爱卿平身！”然后就问道：“诸位爱卿，可有奏本上奏？”

这时候苏克萨哈和鳌拜同时将奏本提出来。

原来苏克萨哈是来辞职的。苏克萨哈在奏本中说他自己年事已高，身体多病，有时候写奏本时手还会发抖，已经没办法再为朝廷效劳，请皇上准他回乡养老。康熙皇帝看到苏克萨哈的奏折，心里不禁

吓了一跳。因为苏克萨哈一走，那鳌拜岂不是更嚣张了吗？所以康熙皇帝心想无论如何一定要挽留他。“苏爱卿！你是当朝的辅政大臣，现在朕虽然亲政了，仍然还需要你的帮忙，你的任务还没完成，你绝对不可以离开朝廷！”康熙皇帝说。

“哈哈哈！”鳌拜在一旁目无尊长地叫嚣，“我看苏大人恐怕不是告老还乡吧！我看应该是害怕罪证被我鳌拜揭发吧！”鳌拜转身面向康熙皇帝说：“请皇上立刻看属下的奏本，再做定夺！”

康熙翻开鳌拜的奏折，上头列了苏克萨哈的二十四项罪状。康熙皇帝一时目瞪口呆，他第一天亲政，就要处置自己的辅政大臣。两个辅政大臣居然公开在朝会中比高下。康熙皇帝当然知道，鳌拜列举的这些罪状不一定是事实，但是奏本上有其他人的联名，他们一起指控苏克萨哈有罪。也就是说，已经有一大群朝中大臣、地方官员和鳌拜勾结在一起。

康熙虽然坐在他的龙椅上，心中却想着太皇太后，这个赤裸裸的政治纠纷和利益争夺，如果太皇太后在场就不至于那么可怕了。可是他已经亲政了，不能一直希望太皇太后帮他的忙。

“皇上！”苏克萨哈全身颤抖着说，“老臣是被冤枉的，老臣是真的要告老还乡，并不是畏罪逃亡呀！老臣从服侍先皇到今天，已经在朝中工作太久了，老臣理应告老还乡呀！”“皇上！”鳌拜理直气壮地说，“朝中大臣都已经在我的奏折上签名画押作证，苏克萨哈罪证确凿，怎能不治他死罪？怎能让他告老还乡？”

康熙皇帝灵机一动说："苏爱卿虽然犯了错，但是他是朝中的辅政大臣，协助我护卫大清，忠心耿耿，功在国家，朕想要免他一死，就将他贬为庶人，家产一律没收充公吧。"苏克萨哈听到这样的旨意，立刻下跪磕头，流着眼泪哽咽地向康熙皇帝谢恩。

鳌拜一听皇上要免去苏克萨哈的死罪，这和他原本的计划相差太远了！鳌拜既然勾结这么多人一起设计陷害苏克萨哈，如果没置他于死地，岂不是太便宜他了？这时鳌拜又进言："启奏皇上！苏克萨哈垂涎皇位已久，今天皇上已经亲政，苏克萨哈眼看没有机会了，所以只好说要告老还乡。"

康熙皇帝说："鳌大人说得太严重了，苏爱卿一向对朕忠心耿耿，不会有篡位的野心。"不等康熙皇帝为苏克萨哈提出证明，突然间，鳌拜指挥他的部下冲进大殿，把苏克萨哈架住，苏克萨哈年老体衰，马上摔倒在地。这时候，鳌拜的拳头雨点般地往苏克萨哈挥过去。苏克萨哈被两个士兵架着，任由鳌拜对他动粗，鲜血从苏克萨哈的嘴角不停地流出来，然后喷了一地。康熙皇帝愣在龙椅上，眼睁睁地看着自己的辅政大臣苏克萨哈被鳌拜活活打死。

"皇上！"鳌拜跪在苏克萨哈的血迹之中，对康熙皇帝说，"请皇上恕罪！苏克萨哈想要篡位，一心谋反，死有余辜。我鳌拜忠心为国，为皇上除害，今天不经皇上下旨就除去苏克萨哈，如果皇上认为臣的做法不对，就请皇上降旨，将老臣也一起处死吧！"鳌拜讲得头头是道。康熙皇帝默默不语，整个弘德殿都鸦雀无声！康熙皇帝第

一次亲政就让鳌拜在弘德殿上给自己来了个下马威，他的心无法平静，但他知道自己在这种时刻也不能多说什么，因为他根本还不是鳌拜的对手，只能眼睁睁地看着鳌拜在朝中撒野！

亲政的喜悦，大臣们的万岁声，一下子已经化成了过眼烟云。

明珠、索额图成为近臣

对康熙来说，弘德殿被鳌拜染血是他一生的耻辱，所以他自己心里也有一些计划。

康熙皇帝自己找的御前侍卫明珠、索额图，两人正在专心致志地训练布库。康熙每天总会不经意地到布库训练场看一下训练的情形。明珠和索额图把十几位近身侍卫训练得身手矫捷，出手有力。康熙皇帝在一旁看得高声叫好，提出要检查他们的实力。于是布库们一对一地在广场上摔角，都拿出自己的看家本领来。

康熙皇帝频频点头，好像很满意的样子，明珠和索额图不约而同地松了一口气。康熙皇帝问明珠："这些布库的武功，比鳌拜的人强吗？"康熙心中盘算着自己能和鳌拜一较高下的时间。

"启奏皇上！小的很对不起皇上，目前我们的实力还不及鳌拜的部下。不过再过一阵子之后，我们一定有信心打败他们。"明珠讲话的时候声音是颤抖的，他唯恐皇上生气，怪罪他和索额图没有把这些布库训练好。

“明珠、索额图两位爱卿你们不必着急，朕只是希望你们了解朕的心情，我们一定要有绝对的把握，才能和鳌拜那群狗党对抗！”康熙皇帝说。康熙皇帝一想起亲政第一天的惨痛经历，自己就不禁打了冷战，这次他一定要有十足的把握才能出手。“朕念在你们二位这么用心指导他们，即刻起封索额图为大清的吏部右侍郎，明珠为大清的内务府总管！”

为什么两位小小的侍卫会一下子升官？因为康熙皇帝要利用索额图来保护皇宫内的安全，而明珠的职务就是安排宫内的事务。今后他们两人就随时可以进出宫殿的各处各角落，不怕被鳌拜那一帮人为难了。“两位爱卿，今后宫中的安全，以及朕的安全都要靠你们二位了！”康熙皇帝说。

“皇上请放心，臣等一定不负所托，拿自己脑袋保证！如果稍有疏忽，我们立刻人头落地。”明珠和索额图跪地发誓。康熙皇帝稍稍宽了心，他觉得自己应该找到了可靠的臣子，有自己的心腹，也可以培植自己的势力了。

注意世局发展

康熙皇帝亲政之后，就如同太皇太后期待的一样。康熙皇帝不但努力地处理朝政，也和自己的皇后赫舍里氏有更好的互动，他已经真正成为一个大人，把自己的生活安排得井井有条。除了朝政，他

也不忘读书。他喜欢到弘文院去听熊赐履、魏裔介等人讲书，也请来一些西方的传教士，讲授西洋文化和宗教故事。

康熙皇帝进到书房的时候，有时候他的老师都还没到呢！他们两位不仅为皇上作古书导读，而且和皇上讨论大事。康熙因为年纪太小，虽然有皇帝的名位，仍然需要学习。

有时候康熙皇帝会要求老师讲“天下之势”。

熊赐履告诉皇上：“大清江山看似太平，其实事实不是这样。我们的国土虽然很广大，但有许多地方不太平。”他又说：“我先从老祖宗的东北说起，那儿有许多罗刹兵[1]常常越过边界来占领我们的土地。他们在边界人烟稀少的地方杀人放火，欺负我们大清子民，还借故占领土地。”

熊赐履有一点担心，他不敢继续讲下去，担心皇上会怪罪他。康熙皇帝听了皱紧眉头。他心平气和地说：“老师你继续说，不必顾忌！”

熊赐履说：“再说西北吧！西北这么大块的沙漠或草原，也有喀尔喀蒙古族一再骚扰。他们的领导人其实不想臣服于大清，想要反清自立。东南沿海地区更是危机重重，因为郑成功迟迟不肯投降我大清，还不停地攻打东南沿海一带，抢夺居民的财物。”

康熙皇帝说：“熊老师会不会多虑了？想我大清的京畿重地，京城一带，处处繁荣，民生安乐、天下太平，怎会像老师所说的到处都

1　在中国元、明、清朝时，称俄国为“罗刹国”。罗刹兵就是指俄国的军队。

有敌人侵略？”熊赐履赶紧低声地向康熙皇帝赔不是：“皇上，臣句句实话，虽然皇上可能听不下去，但是这等天下大势，我不敢多隐瞒呀！”康熙皇帝向老师挥挥手，表示没有关系。他又问魏裔介：“魏老师的看法呢？”

魏裔介也向康熙说出他的观察和判断。“皇上，老臣认为最危险的事倒不是外国外族叛乱的事，最危险的事应该是我们自己的人想谋反呀！”魏裔介说。

熊赐履赶紧拉住魏裔介，提醒他不要再讲下去。康熙皇帝严肃地对他们两位老师说：“如果连在我的书房讨论国家大事，你们都不敢讲实话，那我们大清的朝廷命官，还有谁敢对朕说实话？”“两位老师但说无妨！”康熙又一次催促。

魏裔介终于放心地报告：“启奏皇上！大清最大的危机，恐怕是三藩[1]——镇守云南的平西王吴三桂，镇守福建的靖南王耿精忠和镇守广东的平南王尚可喜之子尚之信。因为他们三人都被封地为王，各自盘距在一个地方，他们自己收税，却还要我们朝廷支出军饷。现在却又传出朝中有人和他们一起勾结，想要造反，谋求利益！”魏裔介耿直地说出心中的担忧。

“真有这样的事？”康熙皇帝有点不解。“到底朝中有哪些人胆敢和这些藩王勾结？”两位老师都不敢再言语。因为康熙皇帝的势

1 明朝末年，官兵有二心，其中吴三桂还开山海关迎接清军入关，大清为了要报答这些降兵，笼络他们，所以封吴三桂第三位降将为藩王，但并不割地给他们。

力还是很单薄，朝廷中几股恶势力纠缠不清，谁也不敢随便议论这样的事情，怕自己遭到不测。康熙皇帝也不想再追问，因为他知道再问也是如此，不会改变什么。

在这段期间，康熙皇帝忍住心中的怒火，他故意接近鳌拜，讨好鳌拜，约他去打猎，或是在宫中设宴款待。这样大方地和鳌拜相处，鳌拜以为康熙皇帝真的敬重他。鳌拜心中大乐，他认为康熙这个小皇帝，对他已经没有戒备之心，他觉得自己计划中的事，已经一步一步地接近了。

就在这段期间，赫舍里氏的外祖父，也就是康熙的辅政大臣索尼因年老患病去世。这件事，连太皇太后都悲伤不已，因为索尼一死，四位辅政大臣之间互相制衡的势力就消失了。鳌拜和遏必隆早结盟在一起，而且他们早都有谋反的野心。

鳌拜嚣张露奸相

鳌拜究竟嚣张到什么程度？

康熙皇帝亲政之后，每天都准时到宫廷大殿举行朝会。各部门的臣子无不兢兢业业地上朝行礼如仪，向康熙皇帝禀报所见所闻，或是让康熙皇帝交办大事。唯独鳌拜借着生病在家休养，不愿意到朝廷中上朝。鳌拜又经常和平西王吴三桂有书信往来，他们秘密计划着要篡位，要废君自立。吴三桂虽然是汉人，但鳌拜为了要谋反，也就不顾自己的满族贵族身份了。

鳌拜不上早朝的时间长达两个月。但是几乎每一天，朝廷中的官员下朝之后，又秘密前往鳌拜的府邸和鳌拜见面。好像那儿就是一个小皇宫一样，他们以鳌拜为王，秘密进行暗杀康熙皇帝的计划。每天在鳌拜的府邸“醒庐”中，只见这一群狼狈为奸勾结在一起的朝廷命官，鬼鬼祟祟地互相讨论。

“承乾殿里头的侍卫都已经是我们自己的人了，等那小皇帝早朝的时候我们就下手！”穆里玛提议。嘴角还泛起微笑，好像胜利在望。“不行！在承乾殿有一点危险！”讷谟说，“如果康熙已经听到风声，知道我们要对他下手，说不定早有准备。”“是呀！所以最好在乾清宫动手！”班布尔善也开口了，“穆里玛和讷谟两个人都是乾清宫的侍卫总管，离康熙最近，如果要动手就要万无一失，绝不可出差错。”这帮人在醒庐商议谋反的方法，以为醒庐是最安全的地方。他们经常秘密聚会，一副志在必得的样子。

由于鳌拜的恶意缺席，让康熙皇帝也很想直接到醒庐去探探虚实。有一天，康熙皇帝在早朝之后，就带着明珠和索额图两位贴身侍卫，直接就到醒庐去了。原本在醒庐高谈阔论的朝中大臣在听到门房通报之后，都立刻躲到隐密的地方，不敢出声。连鳌拜本人也立刻躲回他的床铺，赶紧用棉被盖住自己，假装还在睡觉。

康熙一走进鳌拜的寝室，鳌拜仍然装病不起，直到康熙皇帝叫了一声 ：“爱卿！”只见鳌拜像在演戏一样地气喘吁吁，断断续续地

讲："皇上……臣不知皇上……驾到，没有到门外迎接，请皇上……恕罪……"鳌拜装病，但是他还是不想向皇上跪安叩首，所以假装病得很严重起不了身。等康熙皇帝更靠近一点，他才决定起身。就在鳌拜要下床的时候，棉被也跟着滑落，这时候床上一把亮亮的长刀就出现在康熙眼前。索额图立刻护住皇上，并大声说："鳌拜大人这把长刀有何作用？"

这时鳌拜心有不甘，因为一个毛头小子居然对他如此无礼。但因为索额图已经是皇上跟前的第一侍卫，所以鳌拜还是只有容忍。"臣……"鳌拜说，"这把刀只是臣放在枕下的护身之物，请皇上……皇上……臣是忠心耿耿对待皇上的。"

康熙皇帝说："朕知道！我们大清子民带刀带枪的，这是很正常的事！朕不怪你！"康熙又转向索额图说："索大人一心想着护卫朕的安全，难免会大惊小怪。"这时候，康熙皇帝将计就计看准时间，对鳌拜说："鳌爱卿，你都没有到朝中早朝，朕有很多话都不知道要对谁说，也不知道要请教谁。你不去上朝，朕好像失去左右手一样！"

鳌拜一听康熙皇帝这样夸奖自己，心中更乐！但他还是装得病恹恹的，用一种久病的微弱声音对皇上说："皇上……"不等鳌拜说话，皇上立刻扶着他，很恭敬地对他说："鳌爱卿，近日那些可恶的罗刹兵又开始侵犯我国，鳌爱卿不在朝上，没有人替朕拿主意，不知道要派谁去驱逐他们！""如果不是老臣……"鳌拜气喘吁吁地回应，“如果不是老臣现在生了大病，我一定会自请出征……赶赴最前线……老臣现在病了，就无法出征了。”

康熙皇帝也绝非等闲之辈，他立刻向鳌拜要人！康熙皇帝说：“朕听说你训练了几个大将，一直都跟着你，他们的武功高强，又时常到醒庐来请教时政。依朕的看法，是不是由鳌爱卿推荐两位将军给朝廷，让他们前去北方驱敌，把那些罗刹兵的首级砍回来。”

“这，这……”鳌拜已经快无法招架了。他只好说：“我是有两个部将，一个是穆里玛，他是靖西将军，一个是镶黄旗的都统塞本得。”康熙皇帝听了不禁点了点头。“朕把两位爱卿最好的将领都派去镇守大清的东北方，爱卿……”康熙欲言又止。然后他又说：“朕就封穆里玛和塞本得两位将军为黑龙江将军吧！”

“谢主隆恩！”鳌拜说，“老臣替他们二位谢皇上的赐封！”“好吧！”康熙皇帝说，“那就请鳌大人多多休养，早日回朝当班。”

康熙走后，那些躲在醒庐的奸臣，不知是要为升官高兴，还是要为自己的前途忧虑。倒是鳌拜最难受，因为他在一时之间损失了两名大将。

康熙皇帝回宫之后，喜滋滋地去向太皇太后禀报这件事。太皇太后露出少见的笑容，她高兴地说：“把鳌拜手下的穆里玛和塞本得调到黑龙江是一项重要的胜利，因为这两位将军，一个是鳌拜的弟弟，一个是他的亲侄儿，他们每天都在一起想要谋反自立的。”太

皇太后又说："穆里玛和塞本得调到黑龙江去当将军，鳌拜的势力就少了一大半，虽然朝中还有他的同伙，但也不会那么危险了。"

八年，康熙皇帝已经忍了八年，这还是第一次能挫一挫鳌拜的势力呢！

康熙宫中擒鳌拜

康熙八年五月。

明珠和索额图所训练的布库已经成为一支勇猛的侍卫军。他们在紫禁城中，随时保卫着皇上的安全。而康熙皇帝在处理朝中大事的能力也愈来愈强。他不必什么辅政大臣来帮忙，自己已经很能了解宫中的权力运作。

这一天，紫禁城中到处充满蝉声，热辣辣的太阳让大家都有喘不过气的感觉。皇宫中有一名太监马不停蹄地赶到宫外去，事情好像很急又很不寻常，这个太监手里拿着圣旨，要到鳌拜的醒庐通报。

鳌拜正在家中休息呢！大中午的，会有什么事呢？

太监停在鳌府的大厅前，等着鳌拜来接旨。这位公公念起了圣旨："奉天承运皇帝诏曰：穆里玛和塞本得在东北勾结罗刹，图谋不轨，令鳌中堂立刻进宫，不得有误！"只见鳌府中的下人立刻伺候鳌拜更换朝服，不敢有半点耽误。

鳌拜盛气凌人，他认为穆里玛和塞本得不至于有事，所以他一点也不害怕。他倒要看看康熙皇帝在玩什么把戏。鳌拜进到弘德殿，和往常一样，挺直着腰，一脸凶恶的模样，行礼如仪，伏跪在地向皇上请安。鳌拜并没有感觉到弘德殿气氛诡谲。其实现在的弘德殿，除了皇上的御前侍卫、布库都埋伏在殿内各角落，而且还有一百多名的侍卫手持弓箭，在殿外埋伏，等待着要做第一等的大事。

康熙皇帝看着大殿中跪着的鳌拜，厉声问道："鳌拜，你可知罪？"这样的疾言厉色出自康熙皇帝，鳌拜可能都不曾听过。他心头一震，到底是什么力量让这个小皇帝如此大胆。鳌拜听康熙皇帝这样吼他，他也非常生气。他直直地站了起来，不再跪地，大声地回答："臣不知何罪之有！"

康熙皇帝指着他说："你勾结乱党，欺君犯上，还假传圣旨，陷害忠良，罪大恶极，还说不知有罪！"鳌拜也不甘示弱，眼前的这个皇帝，不就是个小孩吗？"你有证据吗？"鳌拜毫不把康熙皇帝放在眼里。

"证据？难道朕要抓你也需要证据？"康熙皇帝说，"难道你已经忘了杀倭赫的事？难道你忘了在这个地方你活活把苏克萨哈打死的事？你有证据吗？"鳌拜听到这里，知道事情不妙，他已经开始防备。"来人呀！把他拿下！"康熙皇帝下令。说时迟那时快！明珠和索额图加上几个布库已经很快地冲进大殿，准备抓人。"哈哈哈！"鳌拜放肆地大笑，"凭你们这几个小毛头，也想要动你爷爷一根

汗毛!”

布库的阵势摆好了,鳌拜也亮出了刀子,几个回合之后,鳌拜并没有受伤,反而身手矫健地和那些年轻布库缠斗,一点也不畏惧。索额图看到鳌拜如此勇猛,不禁立刻冲到康熙皇帝的身旁保护他,生怕鳌拜使出小人卑鄙的手段,如果真的挟持康熙皇帝,那么大清的历史就要改写了。明珠也到宫外指挥那些弓箭手待命,因为以鳌拜的能力有可能逃脱。

十几个布库和鳌拜缠斗不休,虽然他们已经包围了鳌拜,却没能把他捉住。这时候鳌拜冲出重围,想接近康熙皇帝,宫内的情况十分危急。就在这个时候,鳌拜从自己的鞋子侧边抽出飞刀,往康熙皇帝的方向射出去,康熙皇帝因为有索额图保护,所以也算安全。就在鳌拜几乎发疯的同时,从屋顶上撒下一张大网,不偏不倚地网住了鳌拜,任他插翅也难飞。十几名布库像一吐怨气似的往鳌拜身上拳打脚踢,鳌拜终于倒了下来。

康熙皇帝下旨:“把这个罪臣关进大牢!听候处置!”没几天,鳌拜那一帮人,包括到黑龙江当将军的穆里玛和塞本得,还有朝中大官班布尔善、济世、葛褚哈等人都被处死,还有一位赫赫有名的遏必隆,他也被处死了。他是辅政大臣之一,但是在康熙初年就为了圈地的事和鳌拜勾结,对朝廷造成极大的伤害。一个月之后,经过议政王大臣会议,判定鳌拜的罪状高达三十条,应处以死刑。康熙皇帝也觉得应该要将他处死,以正朝廷风气。

不过这个狡猾的鳌拜居然想到一个法子，他在康熙面前撕开自己的衣服，袒露出一道道伤痕，对康熙皇帝说："这是当年为了救皇太极而留下的伤痕，罪臣拼命救太皇一命，祈求皇上能免我一死！"康熙皇帝听到这样的呈请，只好免他一死，但是要终生都关在大牢。康熙是一个仁慈的皇帝，他虽然处置了这些叛徒，但并没有牵连他们的家眷，也没有没收他们的财物府邸，毕竟这些人也都和他一起在大清的朝中效力过，所以他只杀做错的人，并没有殃及无辜。这样的仁慈，天下人都很敬佩。

康熙皇帝活捉了鳌拜，很自然地想起多年前被鳌拜在宫中打死的苏克萨哈，他下旨恢复了苏克萨哈的官职，由他的子孙继承。而且经鳌拜造成的冤屈、被杀的官员，也都获得平反。鳌拜被关进了大牢，宫中终于安静了许多。

平定三藩之乱

清军原本只在中国东北地区的关外活动，他们原本对明朝没有特别的野心，但是因为明朝的崇祯皇帝太懦弱，闯王李自成起义，当时守边的吴三桂引清兵入关，合力进攻北京。就是这样的机缘，大清的强大军队攻入北京城，成立了大清帝国。

当时有许多明朝的军队，一起向清兵投降，或是帮助清兵一起围剿明朝的残兵，所以他们就被清朝的政府重用，封为大将军，并接受大清的封号和金援，就是所谓的“藩王”。

自清朝初年以来，三藩各霸一方，形成几股割据势力。“三藩”都拥有大量武装。特别是吴三桂，“功最高，兵最强”，他积极地储备将帅，训练子弟兵，整理装备，使得四面八方的精兵猛将，多归在他的部下。他们仗着自己日益壮大的兵力，飞扬跋扈，不听约束，给清朝带来很大威胁。而且所耗军费巨大，清朝国库收入几乎有一半都得支付三藩军队所需，负担太重。

康熙八年的冬天，康熙皇帝找机会要处理三藩的事，他想要用赵匡胤那一招“杯酒释兵权”[1]，找三藩王见面并设宴款待，说不定会把这件棘手的事解决掉。万万没想到平西王吴三桂托病不参加。来到朝廷晋见康熙皇帝的，只有靖南王耿精忠和平南王尚可喜两个人。

康熙皇帝在乾清宫款待他们并开门见山地说：“现在朝廷的军队要对付东北的罗刹兵，罗刹兵对我大清子民烧杀掳掠，霸占土地。我们需要很多武器和兵力对抗敌人，也需要经费粮食。噶尔丹在西北地区又自立为汗[2]，还和西藏的第巴桑杰勾结，整个漠南漠北都已经陷入危机，百姓生灵涂炭，朕真的于心不忍！”

靖南王耿精忠回答康熙皇帝说：“皇上操太多心了，这些小事，一定会得到解决的。”康熙皇帝叹了一口气又说：“现在黄河年年溃堤，有时候又久旱不雨，老百姓真是辛苦啊！”平南王尚可喜年纪大了，故意装作听不懂皇上在说些什么。

康熙皇帝又说：“要解决这些边疆战乱的事情，一定要有精良的军队和庞大的经费啊！”康熙皇帝一直不敢立刻提出撤藩的事，他只是一直喊穷，希望三藩能自己提出减少朝廷支出的办法。他想以他是一国之君，这样子叫穷，两位藩王应该会有所领会，给予正面

1 赵匡胤是宋朝开国皇帝，也就是宋太祖。他在统一天下之后，用文臣治国。在餐饮之间谈笑取回兵权，以达到撤藩目的。撤藩就是指废除藩三的封号及待遇。

2 蒙古称王为“汗”。

的响应吧！

可是这些坐收渔翁之利的人，怎么可能放弃眼前的利益？因为自从他们安居在中国的东南方，不必打仗，没有伤亡，又有大笔经费送来，大家享受太平又有权力，谁愿意提出撤藩呢！康熙皇帝看他面前的两位藩王毫无诚意，他就自己打圆场。“既然平西王吴三桂未到，你们两位又不肯说出意见，我看这件事还是从长计议吧！”

其实平西王吴三桂哪有病？他此时正在云南的行宫逍遥呢！吴三桂真是划地为王的典型。他趁着所有人都在忙于边疆安危的时候，自己在云南的昆明，利用明朝所留的永历故宫，建起美轮美奂的皇宫，而且就在行宫内接见宾客，俨如一位土皇帝。吴三桂其实是一个城府很深的人，他把自己的儿子吴应熊派驻在北京，住在豪门官邸，假装给康熙皇帝做“人质”，自己却在藩地作威作福。连他的孙子吴世藩也是一名悍将。他自己虽然没到京城去觐见康熙皇帝，却叫儿子吴应熊向康熙请安，然后自己又在云南的官邸约见靖南王耿精忠和平南王尚可喜之子尚之信。

年轻气盛的尚之信挖苦吴三桂：“平西王装病在宫中享福，叫我父王和靖南王千里迢迢地到北京受那小皇帝的气！”“那没长胡须的小皇帝已经开始怀疑我们了！”尚之信说，“想当初要你们一起借机会发动攻击，拿下北京城，你们就不动，现在小皇帝的地位已经稳固了，他反而要求撤藩呢！”耿精忠向来唯吴三桂马首是瞻，所以他比较没主见，也不敢在吴三桂面前提意见。

“尚将军稍安勿躁！我并非贪生怕死之徒，而是现在的局势已经不一样了！我们眼睁睁地看着鳌拜鳌大人被送进大牢，没听他的话连手打倒康熙，现在康熙已经可以掌控整个朝廷，我们的地位也受到他的威胁了！”吴三桂说，“我让谋士刘玄初来分析局势给你听听！”

耿精忠知道刘玄初料事如神，所以很恭敬地问他：“我们应该何时向北京进攻比较好？”刘玄初说：“现在三藩虽然都有兵力，但是我们的军饷经费，都靠朝廷援助，一旦粮饷中断，我们自身都难保了，还有机会去攻打北京吗？”刘玄初又说：“我们三藩加起来的兵力大约是五十万，现在和朝廷交手简直是鸡蛋碰石头！”

尚之信没好气地说：“刘先生该不会是长他人志气灭自己威风吧？还是因为平西王的儿子吴应熊人在京城，才不敢主张出兵？”“尚大人不要误会！”刘玄初沉住气说，“朝廷现在正对付黄河溃堤，边疆罗刹兵进犯，自己也忙得不可开交，无力管到我们！依我的浅见，我们何不利用这一段时间，好好操练士兵，做好准备，有朝一日，再挥军北上，杀其不备！”

他们三人的谈话虽然不投机，但因为有谋士刘玄初出主意，所以终于达成共识：以朝廷的经费养自家的兵，想一想有什么比这样更划算的？西南地区的三藩果真厉害呀！

吴

康熙决定要撤藩

康熙皇帝在制伏了鳌拜之后，心中所想的就是要解决三藩的问题。因为他自己曾经说："自从我亲政之后，最想做的事就是'河工'、'漕运'、'三藩'这三件事，我将它们贴在柱子上，随时提醒自己要记得！"

康熙皇帝也在乾清宫中和大臣们谈论这件重要的事。朝廷中的意见两极分化。认为要暂时"不碰三藩问题的"是一派，还有一派是要皇上积极处理日益严重的三藩问题。有许多怕事的人还帮三藩讲话，认为他们只要安安静静地镇守西南，管他用掉多少国库的银子，总是相安无事就好。但是也有一派觉得，三藩割地为王，耗尽国库近一半的税收，如果他们相互勾结，必将造成天下大乱，山河变色。康熙皇帝自己赞成消灭三藩。后来康熙皇帝就在朝廷中让所有的大臣们讨论这件事。但因为康熙的定见，使得消灭三藩的决策形成了。

自从三藩被康熙皇帝召见之后，他们的秘密聚会反而比以前还要多。他们也害怕朝廷真的撤藩。康熙十二年，也就是公元1673年，朝廷决定要撤藩了。聪明狡猾的吴三桂先听到了风声，因为朝廷中也有人为他们通风报信，所以他就先发制人，在朝廷还没有下达撤藩令之前，就先向朝廷上奏，说自己要撤藩，把军队全部献给朝廷。

吴三桂的这着棋，让康熙皇帝不知如何是好，因为吴三桂先提出自己要献出军队，康熙皇帝就没有理由可以出兵攻打叛军。“师出无名”，当然错失良机。吴三桂和其他两位藩王，就利用这一段时间偷偷整合兵力，好好加以训练，补充武器弹药，加强巩固阵地，准备下一次朝廷下令要撤藩时，可以好好地打一场战。

到了康熙十二年的十一月，平西王吴三桂终于露出狰狞的原貌。他发动了武装叛乱，首先就把朝廷派去的巡抚朱国治杀掉。朱国治是代表朝廷去执行撤藩任务的官员，吴三桂毫不顾忌地就杀了朝廷命官。同时吴三桂更是清理门户，只要是和他意见不同、不想挥军北上对付康熙皇帝的，他就把他们全部关进大牢，不见天日。吴三桂不再是平西王。他自称是“天下都招讨兵马大元帅”，并以“兴明讨虏大将军”的名义，名正言顺地发布了“讨伐康熙”的文告。这真是时空错乱的一张文告，因为吴三桂帮助清朝的军队，灭了自己的明朝，接受清朝的优厚待遇，割地为王，现在又讨伐他当今的皇上。

不管吴三桂用什么名义讨伐康熙，他都觉得有理，因为他要“伐暴救民，顺天应人”，吴三桂迷惑大多数的平民百姓，因为对他们来说，康熙皇帝是满洲人，不是汉人，如果汉人可以当皇帝，他们也会非常欢迎。康熙皇帝可真是“天高皇帝远”，眼前的吴三桂才是他们的明君。所以在短短的几个月之内，各地的叛军已经占领了六省。局势的发展让朝廷也害怕。

另外的两个人，耿精忠和尚之信，也一起响应吴三桂的叛变行

动，甚至也改名，例如耿精忠自称为“靖南皇”，自命为皇帝。尚之信也改称“平南天子”，而且战旗上面还挂上龙的图案，反正无论如何就是都要当皇帝！

奋战八年解决三藩之乱

年仅二十岁的康熙皇帝，遇到国内空前的内乱，他最初有点害怕，担心三藩真的打进了北京城，可是他想了一想，觉得自己的判断不错，因为三藩“撤亦反，不撤亦反”，他们就是要叛乱，反正终需一战。康熙皇帝认为和吴三桂最终要做一次了结，战争是免不了的事。

当吴三桂亲率二十万大军快攻到湖南的时候，康熙皇帝也不再忍耐了！康熙调派八旗最优秀的军队，开往荆州，堵住长江各大城，不准吴三桂向长江推进或往北边移动。接着又命西安将军太尔喀率大军，日夜赶路，到四川去阻止叛军和当地的军队勾结，然后左右夹攻，要把吴三桂的军队赶回云南。

康熙在这次的战役中发明一种“战报回报系统”，他利用原有的驿站[1]，加上快马，每四百里当成一站，随时随地快马加鞭，回报战地情报，或是带他的旨令到最前线。因此虽然中国地域辽阔、交通不便，但是在朝廷的康熙皇帝，还是对各地的战况知之甚详，指挥

1 驿站是指传递文书中途休息的地方，传递军情的称为“站”。

若定。

就在吴三桂毫无节制地到处烧杀掳掠的时候，康熙也开始不顾情面，他再也不相信吴三桂把儿子吴应熊放在北京城是为了当人质，所以就把吴应熊父子处以绞刑。因为康熙也有正确的情报来源，知道吴应熊想在北京城来个“里应外合”，在北京接应吴三桂的军队，所以康熙皇帝对吴应熊再也不手软。

吴应熊被处死的消息传到吴三桂的耳中，他很惊讶地说：“我确实低估了康熙这个小皇帝！”不过康熙皇帝严惩叛军的消息传开之后，让更多的官兵相信康熙皇帝和朝廷真正的态度，他们再也不敢掉以轻心，全心全意和吴三桂的叛军决一生死。

康熙皇帝本来想要速战速决，没想到吴三桂的军队训练有素，也比较有作战经验。另外加上有许多清朝的将领，不愿意得罪吴三桂，他们就按兵不动，希望战争平息之后，能从吴三桂那里得到利益。因为确实有许多清朝的将领、各地的统帅，收到吴三桂整袋的黄金贿赂。这样战事一拖再拖，拖了八年之久。后来康熙皇帝狠下心，处置了心有二志的八旗将领，军令如山，凡是暗中资助吴三桂的人，一律处死！这样一来，康熙皇帝的严令才有了贯彻的机会。

吴三桂的战事越拖越久，消耗的经费兵力就越严重。他为了要和康熙皇帝分出“蛮夷”、“正统”，所以也想祭天为王。在康熙十七年的三月，宣称国号为“周”，封他的妻子为皇后，孙子吴世藩为“太孙”，自己当然就是皇帝了！跟在吴三桂身边的人，个个受封官爵，

又是大将军，又是大学士，还有模有样地举行科举乡试，好像是一个王朝。不过在康熙指挥的庞大火力之下，吴三桂的周朝只是昙花一现，他只在位一年就病死了，由他的孙子吴世藩继位。这时候吴三桂的势力已经有了众叛亲离的迹象。

康熙十九年，清军紧紧包围吴世藩的部队，因为康熙皇帝下旨，昆明城是一座名胜古迹，绝对不能破坏，所以清军只能以包围的方式，让城内弹尽援绝，不战而败。他们用传递诏书的方式，劝城内的人投降，所以吴世藩只好悬梁自尽，结束了三藩之乱。这时候耿精忠、尚之信等人的部队也节节败退，成了乌合之众。康熙皇帝为了将来的长治久安，就以吴世藩和吴军最重要的大将郭北图的头颅，挂在午门示众，连吴三桂的骨灰也被挖了出来，送到北京城，让一般百姓有所警醒。

康熙二十年，康熙皇帝二十七岁，这一年结束了长达八年的战役，也结束了盘距中国南方十余年的三藩割据。对康熙来说，他又一次地贯彻了自己的意志和必胜的决心。

施琅为大清收复台湾

明朝末年，投降大清的将领很多，但是也有不肯接受招降的将领，郑成功[1]就是其中一人。在康熙还没即位的时候，郑成功就已经进驻台湾，把原先占领台湾的荷兰人[2]赶走，结束了荷兰在台湾的三十八年统治。但是郑成功的目的并不是想要在台湾安居，他计划要以台湾为“反清复明”的根据地，时时刻刻想要推翻大清，恢复明朝。

老天并没有让郑成功有太多的时间完成他的梦想，因为郑成功到台湾之后的第二年，就因病去世了。由他的儿子郑经[3]继位，郑经也承袭了反清复明的志业。他们的水军就随时到中国的东南沿岸偷

1 郑成功（1624—1662），原名森，是福建南安人，郑芝龙之子，赐姓朱，封延平郡王。

2 1624年（明朝天启四年），荷兰人从今日台南的安平古堡登陆，占领台湾。一方面做贸易，一方面传教，荷兰人一共统治台湾三十八年。

3 郑经接续他父亲的兵员和势力，也建立正式王朝的东宁王国，1681年去世。

袭，抢夺财物，造成福建、广东沿海县市的损失。由于郑氏三代都在大海中成就事业，所以从郑芝龙到郑成功，以至郑经，他们都有强大的水军，他们有颇多的海上作战经验。因此想要在海上跟郑氏的军队作战，很不容易获胜。

康熙三年，也就是公元1664年，清朝曾经派施琅[1]进攻郑氏，打下金门和厦门，使得郑氏不敢再到大陆东南沿海骚扰，而只是在台湾继续经营。施琅回到北京向康熙皇帝禀报有关台海的详情。施琅说："郑氏的人马大约只有数万人，战船有数百艘，郑经和郑成功最不同的地方，就在于郑经只是一个听命于部属的庸君。他不像郑成功那么有智慧！"施琅献策说："可以先取得澎湖，再攻打台湾，这样就不必一次从东南沿海航行到台湾，危险性比较小。"

在三藩之乱时，耿精忠也曾经和郑氏合作。他们立下互不侵犯的条约，但是在朝廷出兵攻打耿精忠之时，郑氏的兵力也攻向福建边境，大肆掠夺耿精忠的财物，所以耿精忠可以说是腹背受敌。在那段时期，施琅曾经想要利用攻打三藩的时机，一起攻打郑氏的军队，但是又怕兵力分散，反而让清兵受攻击。所以施琅也想好万全之策，一方面联合东南大军，一方面观察耿精忠的部队和郑氏的部队战争。没想到此时郑氏的部队竟然朝着施琅开炮，情急之下，施琅的部队破釜沉舟，冒死往前冲，经过一轮又一轮的进攻，终于将郑氏的

1 施琅是福建晋江人，他曾经是郑成功的部下，但因为郑成功杀害他父亲和弟弟，所以施琅归顺清朝，并被康熙重用。他因征台有功，被封为"靖海侯"。

军队赶回台湾。施琅也接受康熙皇帝的指派，带着部队驻守福建，以抵抗随时都可能侵犯的郑氏大军。

康熙二十年，即公元1681年，康熙皇帝撤藩平定内乱的长久战役结束。福建总督姚启圣向康熙皇帝建议："郑经已死，他的部将冯锡范等人又杀死了郑氏的继承人，改立郑经的次子郑克塽继承延平王位。郑克塽年幼，成为冯锡范的傀儡。这样的内乱，机不可失，这时候出兵攻台，必能取得大胜。"姚启圣还说："只要有水军两万，战船三百艘，就能消灭郑氏集团。"康熙皇帝在此情况下，决心为了国家统一收复台湾。

独排众议重用汉将施琅

既然康熙皇帝想要收复台湾，当然要派出一个适当的统帅。康熙召来了六部尚书[1]，商讨对台策略。

宁海将军喇哈达，送来台湾的最高统治者郑克塽的亲笔信函。信中说，希望康熙皇帝能允许台湾独立，自成一国。如果能够这样，郑氏王朝一定能按照时间朝贡，准备许多珍品献给大清。康熙皇帝一看到这封信，心里又气又恨，他认为，如果不是大清的军队怕分散

1 六部包括吏部（管用人）、户部（管土地人民财政）、礼部（管学校、考试、祭祀）、兵部（管军事）、刑部（管法律）、工部（管工程），是中央政府的主要行政部门。尚书是官职名，总管本部政务。

兵力，说不定在三藩之乱时，郑氏就已经被消灭了，怎么可能多年以后还偏安台湾，假装求和呢？所以康熙皇帝说："郑克塽简直是异想天开，朕心中已经有适当的人选，可以率兵攻打台湾。不久之后，大清一定会向台湾开战！"

索额图连忙问皇上："不知皇上属意谁当统帅，总掌兵符？"康熙皇帝说："施琅！施琅这个人不但骁勇善战，而且足智多谋，他和朕一样，绝对不会让台湾独立！"

乾清宫所有官员，先是一阵静默，再是一片哗然。大家议论纷纷。礼部满族尚书先说："启奏皇上，三藩之乱才平定，朝廷用了许多银两，损失了很多军力，我们必须要休养兵力，现在又立刻兴兵，发动战争，可能劳民伤财。能不能奏请皇上，先延后一段时间？"礼部满族尚书所提出的意见，也是朝廷中大部分人的意见。尤其是真正驻扎在东南沿海的军队，他们更不希望战争，因为他们才经过一场八年之久的战争，能够保住性命，已经算是福大命大了。

理藩院尚书也提出意见："启奏皇上！施琅将军虽然战功彪炳，有勇有谋，但他毕竟是一个汉人，如果他真的收复了台湾，会不会趁机也反清复明呢？"康熙皇帝说："难道你们认为施琅会叛变？"理藩院尚书说："吴三桂、耿精忠和尚之信他们不就是最好的例子？汉人容易恃宠而骄，恃才傲物，如果启用施琅，会不会又有类似三藩这种事呢？汉人万万不可相信！"

康熙皇帝说："请索额图和明珠也说说意见吧！"索额图回答

说："臣以为，所谓安内攘外，要对付敌人侵略大清，一定要先安内，安内就是要先解决台湾的问题。"康熙皇帝说："索额图言之有理，大家想一想，北边的罗刹国，年年入侵，解决台湾的问题之后，大家才有力量一起对抗罗刹国。"明珠也接着说："施琅之前就有很多机会和三藩或郑经政权合作，他如果有叛乱之心，恐怕早就已经对抗朝廷了。"

康熙皇帝又说："施琅屡建奇功，朕对施琅深信不疑，绝不会因为他是汉人就怀疑他！现在我正式宣布，朕要正式派遣施琅率兵攻打台湾，收复台湾。"此时大殿一片沉静，没有人敢再发言。

等各部尚书都退下之后，康熙皇帝立刻宣施琅晋见。"朕想派你去收复台湾，"康熙皇帝说，"不知你对这件事有什么看法？施爱卿不必有所顾忌，朕是用人不疑，疑人不用！"

康熙皇帝这么一说，让施琅内心十分感激，因为施琅身为汉人，不少朝廷命官都对他有意见，但是当今皇上力保，他真的不知如何回报！施琅恭谨地说："微臣以为，这个时间正是收复台湾的大好时机！据我了解，在郑经执政的时候，他的能力已经不如他父亲郑成功，岛内的局势较乱，可是海上的军事依然壮大，我们从福州城东那次战争就可以发现他们的武器精良，兵士勇猛。微臣和郑经的水军交过手，知道他们的炮火猛烈，如果不是我下令不准撤退，恐怕我们的军队会被郑经的部队打败！"

康熙皇帝说："朕也听说，那次战役我方军队损失惨重！""启

奏皇上！”施琅说，“至少那一次战役之后，郑经的部下就不敢再登陆东南沿海，只敢在台湾继续训练军队。现在又不同了！郑经死了之后，他的儿子郑克臧继位，不久就被大将冯锡范、刘国轩、刘国辕兄弟杀死。随后又拥立他弟弟郑克塽，前不久这几名郑氏王朝的大将，又发生内乱抢夺势力，冯锡范被刘氏兄弟杀死，台湾变成刘国轩、刘国辕两兄弟的天下。但是台湾的百姓并不喜欢刘氏兄弟，所以这几年偷渡回到大陆沿海的台湾百姓越来越多，已经高达几千人。”施琅说，“民心思变，现在他们的兵力也比较薄弱，如果这时候发动攻击，相信很快可以攻克台湾！”

康熙皇帝点头称许：“朕就知道自己没看错人，施爱卿对整个台湾的局势果然见解高明！不过施爱卿可别小看刘国轩，他有能力杀害冯锡范，又曾经到东南沿海和靖南王耿精忠勾结，可见他智勇双全，不容小觑！”施琅说：“皇上所言甚是！微臣太自大了！”康熙皇帝说：“施爱卿是自信，不是自大！施爱卿有话直说，真是朕的福分！今日朕就封你为钦差大臣，即日启程前往福建，到那边去试探一下福建总督的心意，因为朕知道，福建总督喇哈达，是主张不要战争的，施爱卿前去了解，如果真的无法沟通，朕再来处置！”“谢皇上！”施琅说，“臣一定不负所托！”

清

施琅展现魄力

果然不出康熙皇帝所料，宁海将军喇哈达不仅不想对台湾发动战争，他甚至没把施琅这位钦差大臣放在眼里。因为他们有一群贪生怕死的官员，不希望又有战争，他们觉得现在这样子就已经很好了。施琅到福建和他们会谈，宁海将军喇哈达直言道："福建的军事力量，不足以和台湾的水师相提并论。"他分析说："郑氏的水军以海盗起家，又经常到大陆沿海偷袭，已训练有素，军容壮大。如果以我们福建的兵力相抗衡，不但一无所获，还会大伤元气。"

这时福建水师提督万正色也帮腔，为他们不想战争说理由："我掌管福建水师多年，和台湾水师正面交锋很多次，我们福建水师都不敌，因为台湾水师船坚炮利，士气如虹，下官以为，如果我们在这个时候出兵，只是会影响到朝廷的清誉。"

但是福建总督姚启圣说："台湾水师固然骁勇善战，熟悉水性，但是我们福建的兵力多于台湾水师好几倍，我们为什么要退缩呢？"他从容地说："我们仅福建一省，就有陆军和水师数万人，又有战船数百艘，与台湾的郑氏叛军相比，我们其实更有优势！所以只要同心同德，一定能打败台湾水师，顺利收复台湾！"

施琅听了不禁哈哈大笑，他说："好个同心同德！我们现在在座的几个地方官，就已经有完全相反的意见。又怎能同心同德呢？"

福建水师提督万正色反问施琅说："难道说施大人已经同意姚

大人的说法？一定要收复台湾？”施琅说：“当今圣上有决心要收复台湾，就请大家多多费心了！我施某人此次当钦差到福建来，就是为了要让各位可以有一个万全的准备对台湾开战！”大家谈论很久之后，就解散了。留下姚启圣和施琅两人彻夜对谈。之后，施琅将他在福建总督府所谈的结果上报给康熙皇帝。

就在上报的这段时间，台湾的水师又派兵来攻打福建。他们偷袭福建的营区，由万提督率兵对抗。台湾水师依靠炮火猛、射程远的大炮把福建水师打得落花流水。万正色领着所剩的三十多艘船，惨败而归。宁海将军喇哈达不给面子地说：“我就说嘛！我们的军队根本不是台湾水师的对手，现在兵败如山倒，总该相信了吧！”施琅严正地说道：“总督大人不必如此丧气，我们自有破解的方法。”

施琅转向万提督说：“今日和万提督交手的人，应该是刘国轩吧！”万提督不敢相信自己的耳朵，因为施琅并没有亲赴战场，怎么会知道对手是刘国轩的部队呢？宁海将军喇哈达说：“既然施大人都已经见识到了刘国轩的厉害，就请大人禀告皇上，收回成命，不要再想收复台湾的事了！”“莫非总督大人想要违抗圣命？”施大人说，“等皇上下旨，总督大人应该就没话说了！”宁海将军喇哈达生气地对施琅说：“施大人如果一意孤行，那就请施大人自己带着水军去打台湾水师吧！”

没想到将军的这句话和康熙皇帝的意思一样。因为圣旨来的时候，真的说：“喇哈达即日调回京城另有任用，升姚启圣为福建总

督，命钦差大人施琅兼任福建水师提督，万正色为陆军提督。”这让喇哈达差点吓破胆。从这一刻起，京城到地方，都一致认为要收复台湾，再也没有反对的声音。

施琅出兵澎湖

收复台湾的铁三角已经形成，当然要好好地行动。姚启圣直接命令施琅和万正色两位提督重新训练军队，自己则老谋深算地找几位老练兵士，化装成老百姓，偷偷以捕鱼的名义，到澎湖列岛探探虚实。如同姚启圣原先判断的一样，他派去的这些密探，回报的消息是：澎湖的居民大约有一万人，驻军有五千人，由刘国轩的弟弟刘国辕负责统领！另外在澎湖列岛的高处几乎都有防御工事，都装设了大炮，大约有两百多门。澎湖的南端还有一个港湾，停泊大约两百艘的船，有的很新，但也有一些旧船。

所谓知己知彼百战百胜，姚启圣先打听台湾水军在澎湖有多少兵力，让施琅十分感动！姚总督请施琅规划训练兵力的事，施琅说：“我来训练水师，就请姚大人训练陆军，要找一些不怕水的人，可以当水兵同时也可以在陆地上作战！另外再请万提督全力训练陆军，如果攻占澎湖没有好的战绩，就直接派船载着陆军去攻打台湾本土。”施琅果真作战经验丰富，他提出的练兵计划，让姚总督、万提督都非常佩服，也加紧去执行。

刘国轩和刘国辕兄弟，万万没想到自己已经暴露在危险之中，他们一直认为澎湖停泊船只的港湾，是绝对不会被攻打的。因为这个港湾很隐密，而且有一些暗礁，不熟悉情况的人就会触礁，根本不必开炮船就翻了！聪明的施琅，雇了一批工匠打造了五百多艘小船，这些小船能够自由地穿梭于暗礁乱石之间，直接到达澎湖的港湾。施琅又请工匠打造了五百门大炮，射程不远，但火力足，足以让刘国轩兄弟吃吃苦头！

等大炮船只都建好后，施琅就开始训练军队，他直接就在海边训练水军，因为大清的军队源自于满洲，他们习惯于陆上作战，对于海战有些害怕，所以施琅就直接把将士全部都带到沿海去训练。

一切都准备就绪，施琅却听说刘国轩自己带着五千人马进驻澎湖，这样的消息对施琅打击很大，因为等于告诉施琅说，他们所有的训练过程都已经被台湾方面知道了！

施琅主张出兵，但此时万提督不太想出兵，他建议说："我们不能贸然行事，现在他们的兵力增强一倍，局面更是雪上加霜，如果我们现在出兵，岂不是白白去送死？"

施琅笑着说："我现在要出兵的理由有三点，第一，我军训练已久，大家都知道我们的目标是出兵收复台湾，而且全军士气高昂，我们自己不必泄气。第二点，台湾水师的兵力虽然增加一倍，但也只有五千名，如果我们能把敌军的船只击沉大半，他有再多的军队也没有用。"姚启圣和万正色都听得很入神。施琅再说："如果我们提早

出兵，攻其不备，刘国轩兄弟一定会被我们打败，所以我主张越早出兵越好。”

“施大人！”姚启圣拱手说道，“今后我愿意听从大人差遣。”施琅说：“不必客套，皇上要我们一起收复台湾，我当先锋，万一战死了，就请姚大人继续我的工作！绝不退缩！”万正色问：“请问施大人，确切出兵的时间是什么时候呢？”施琅笑着回答说：“我不想把确切时间告诉任何人，以免又泄密了！请放心，施某一定会找一个适当的时间。”

从福州海岸到澎湖列岛，其实不到几个时辰。如果海风顺利，有时候还会更快。所以对施琅来说，他把部队整编在营区，可以说打就打，不必通知任何人。

康熙二十二年（公元1683年）六月十五日，海面上出奇得平静，黄昏时刻，一阵大雾忽然在沿海地区驱之不散。这样的夜晚如果在大海中航行，真的是没有人会发现。施琅决定在这样的天气出兵澎湖，他的向导是一群熟悉台湾海峡的渔民。黑沉沉的大海，没有一丝灯光，渔民们完全凭着感觉，带领着这些施琅的水军抵达澎湖外海。

施琅希望自己的炮火能够打到刘国轩的船只，所以最好能再开近一些，但是愈近澎湖的港湾，其实就愈危险。施琅就在炮火的射程之内喊停，并且立刻对眼前出现的台湾水师船只开炮。由于刘国轩早就闻风施琅可能会来进犯，所以也有准备。一时之间双方火力大开，互不退让。

施琅部队从午夜战到正午，炮火集中，猛烈攻击。刘国轩的船只损失惨重，立刻回航，躲进沿岸港湾避难。不一会儿工夫，就不见水军部队的踪影。

施琅的手下建议乘胜追击，但又怀疑是敌人的诱兵之计。施琅考虑了一下，然后看看四周的环境，他很有自信地说："如果是要我们到岛上决一死战，我们也不能退缩，因为我们的目的就是要打败刘国轩他们。"

没想到施琅率军才上岸，就受到一阵猛烈的炮火攻击，果真遭到敌军的埋伏。正在肉搏战的两军，都被这一场炮火波及。施琅正担心，怕将士死伤太多，没想到炮火又再度平息。原来是敌方刘国轩的炮弹已用完，刘国辕一气之下，竟然立刻把炮手处死，带着剩余的部队往内地躲藏。施琅也不敢再继续追逐，因为他对这个地方也不熟悉，贸然追击，说不定会真的陷入危机。施琅暂时把部队带往安全的地方，没想到又有几颗炮弹，再度落入清兵的行伍，再一次发生伤亡。施琅立刻下令撤退。夜渐渐深了，大清的兵马就在沿岸扎营，有的回到船上休息。施琅和几个部下商量对策。

"报告将军！"有一名卫兵通报，"有一位渔夫要见大人！"那位渔夫提供了一项很重要的情报。原来这里的渔夫对刘国轩心有不满，刘国轩不照顾当地的老百姓，不让他们安居乐业，常常抢占老百姓的财产，所以他们向施琅提供刘国轩部队的军火藏在何处，也自

愿带路。

原来刘国辕他们的炮火武器都藏在一个有峭壁屏障的凹地内，那个地方外人是绝对无法侵入的。澎湖的峭壁很多，渔民们都有一身好功夫，他们能够攀爬峭壁，到另外一个凹地。

施琅的部队因为有当地人的引导，简直如虎添翼，他们很快计划好最好的攻势。清兵现在兵分三路，对刘国轩的部队发动攻击，冲入敌军堡垒，决一死战。经过两天一夜的激战，澎湖终于被攻克了。台湾水师损失惨重，已经无法再战，不过刘国轩还是趁乱脱逃了。施琅下令所有健康的将士就地扎营，受伤的人则由他自己带回福州疗伤，并且回去福建调兵增援。

一个多月之后的八月十三日，施琅和福建总督姚启圣，亲自率领战船两百艘，大炮两百门，官兵两万人，从福建出发，向台湾岛前进。就在清兵快要抵达台湾岛的时候，只见郑克塽带着大批的郑氏王朝官员，手举白旗，向大清投降。清兵不费一兵一卒就收复了台湾。

施琅立了大功，把康熙皇帝交代的事完成了。台湾终于从郑氏手中回到了大清政府手中。姚启圣和施琅对于台湾问题不敢私自处理，所以由施琅写了一封信给康熙皇帝，向皇上报告收复台湾的好消息。

台湾归入大清版图

康熙皇帝收到奏折，欣喜万分，立刻和索额图共商大计。“施爱卿既然已经收复台湾，朕要封施琅为封疆大吏，姚启圣也一并升官，以表彰他们的战功。”康熙皇帝高兴地说，“朕总算没有看错人，当年还有很多官员认为施琅是汉人，会对朕不利呢！”康熙皇帝又说：“可是朝廷又有许多人主张，说台湾是一块偏僻荒凉之地，不如放弃，以免徒增兵力负担。索爱卿，你说说你的看法。”

索额图说：“启奏皇上，既然耗费这么多年，又浪费这么多兵力、经费，怎么可以轻易抛弃？”索额图又说：“在郑成功占据台湾之前，有西洋的荷兰国占领台湾，也有西班牙想霸占台湾的事，可见那是一个不错的地方。台湾地处偏僻，却是大清东南的屏障，我们一旦放弃了，恐怕西方的殖民势力又会再度侵入，东南沿岸将永无安宁之日。”康熙皇帝听了，不禁点头称是。

康熙皇帝说：“朕正有此意！朕要在台湾设行政机构，隶属于福建省，澎湖则归台湾府，此后再有西洋人来犯[1]，必当由我大清出面驱逐。”他严正地宣布：“今后，台湾就是我大清不可分割的一部分。”

康熙二十三年，康熙皇帝在京城接见了郑克塽一行。康熙皇帝授予公衔，投诚的官兵一千六百余人也被朝廷照顾，康熙对施琅本

1 康熙时代，荷兰、西班牙、法国等西方国家，都对台湾有野心。

人更是赞誉有加。说他“智勇双全，建立奇功，安定东南疆域，可与马援齐名，流芳百世。”康熙皇帝加授施琅为靖海将军，封为靖海侯，后来又想到海战比陆战要困难许多，所以又加一级，让他永远享有内大臣的俸禄。同年，台湾设一府三县，隶属福建省，在台湾设总兵一人，副将两名，驻兵八千人，在澎湖则设副将一名，驻军两千。

返乡祭祖 向沙俄开战

当施琅准备要攻打台湾的时候，康熙皇帝非常高兴，觉得平定三藩，又将要收复台湾，应该返回盛京祭祖谒陵。盛京就是今日的沈阳，也就是大清帝国的发祥地。

康熙皇帝在弘德殿宣布要到盛京拜谒皇陵[1]，索额图立刻向皇上表达反对的意见。索额图说："现在东北地区并不平静，罗刹鬼子经常侵犯边境，甚至骚扰附近村落，此时皇上如果到盛京，恐怕路途中有危险。"明珠也接着说："索大人所言极是，现在皇上出巡，我们怎会放心？朝中文武百官都很惶恐！"

康熙皇帝不禁哈哈大笑说："你们太过担心了，盛京和黑龙江距离岂止千里！罗刹兵无论如何也攻不到盛京。"索额图和明珠现

1　满清入主中原之后，摄政王多尔衮为他的父亲努尔哈赤及他的哥哥皇太极建造北陵。

在位高权重，所以他们两人一旦说出的意见连康熙皇帝都不接受，那么其他人根本就不敢再说什么了！

公元1682年4月，康熙就率领索额图和明珠二人，还有千余名禁卫军，一起前往盛京。路程非常遥远，他们大约数十天才抵达。

康熙出于一片孝心，才会到盛京去谒陵。当他登上一百零八级的台阶，看见高大雄伟的陵寝，心中有无限感慨，想起他自己在八岁那年登基当皇帝，如今都已经过了二十一年了。他上告祖先，自己是一个好皇帝，不辱先祖的名声。

康熙皇帝在敬天祭祖之后，还想往北方去巡视，索额图慌忙上奏："启奏皇上，如果再向东北方向行进，一定有危险。"康熙皇帝不高兴地说："朕走在自己的国土上，怎么说会不安全？"康熙皇帝执意如此，索额图和明珠二人也不敢再多说什么，只能偷偷通知在东北防御的萨布素和彭春两位将军，立刻调派兵马，派一支军队前来护驾。

当康熙皇帝抵达船厂[1]的时候，萨布素和彭春也率兵抵达，而且还拖来十几门大炮。康熙皇帝看到壮盛的军容，又见到十几门大炮，他笑着说："二位是要去出征吗？这次要攻打哪里？"萨布素说："皇上此次驾临，末将十分惶恐，东北地区一向不安定，皇上来这里，我们不放心呀！"康熙皇帝说："两位爱卿长久驻扎在此，天寒地冻的，朕都不曾来巡视，你们一直在这么危险的地方都不害怕，

1 因为清朝政府已经发展水军，所以在大的河川附近也会设置造船厂。

朕有什么好担心的？”他接着说：“两位爱卿，近日罗刹兵的动向如何？请二位一起奏明！”

“启奏皇上！”萨布素说，“近日罗刹兵比较平静，前一阵子，罗刹兵侵入我大清百姓的村落，杀人放火，又抢夺财物，罪无可逃。在黑龙江中下游一带，有数十个罗刹兵的据点，这些地方的罗刹兵，都是由雅克萨城[1]的托尔布津率领。”

康熙皇帝问：“有十几个据点？这么说他们是真的想要占领我大清的土地？！”彭春回答：“罗刹兵随时都会发动攻击，我东北的土地辽阔，但兵力单薄，非常危险。”康熙皇帝说：“去安排几艘大船，朕要沿着松花江[2]畔，一路北上视察我大清子民的生活。”明珠紧张得直冒冷汗，他向皇上说：“皇上万万不可！松花江和黑龙江相连，如果皇上坐船沿着松花江北上，就会到达黑龙江，那么以我们的庞大队伍，一定会被罗刹兵发现，这样皇上就暴露在危险之中。”

“怎么？”康熙皇帝话里有责备之意：“朕只是要巡视一下我大清的疆域，也那么困难？”索额图听出康熙皇帝的弦外之音，他立刻回皇上的话：“臣万万不敢，皇上要去哪儿，臣愿侍奉左右！”

---

1 雅克萨城建于外兴安岭南麓，黑龙江北岸。俄国人在此地驻有大军，是俄国向东方殖民的中心。大清与俄国的两次大战役，都在这座城市发生。

2 松花江是东北地区的重要河川。

康熙派兵侦访东北局势

河面宽阔的松花江，在阳光之下显得异常宁静。康熙率领的大小船只十多艘，在江面上缓缓行进。康熙皇帝兴致高昂，欣赏两旁如诗如画的景色，索额图和明珠二人，完全没有心思欣赏风光，他们紧张地观察两岸动静，生怕有罗刹兵的踪影。河面上有康熙皇帝的船队航行，河岸两旁则由萨布素和彭春两人率兵两千人行军，保护康熙皇帝的安全。

两天过去了，大家都略显疲惫，只有康熙皇帝还兴致勃勃，索额图忍不住说："启奏皇上，我军越往北走，遭遇罗刹兵的机会就越大，请皇上三思！"康熙皇帝说："索爱卿不必多虑，没来这里亲自走一趟，朕怎么知道如何增加兵力？如何计划和罗刹兵作战？"

一天之后，康熙皇帝突然决定返回北京，回到紫禁城，大家都松了一口气。他交代萨布素和彭春两人说："你们一定要在最短的时间内将黑龙江一带罗刹兵的兵力调查清楚，然后再禀告朕，不得有误！"

公元1682年9月，萨布素和彭春两人率手下百余人，装扮成平民百姓，以打猎为名，一路北上，全力侦查罗刹兵的人数及兵力部署。

说到大清东北的国土，也有许多历史故事。其实大清的祖先来自满洲，来自于黑龙江流域和乌苏里江流域，当然特别重视自己的发祥地。大清政府先后在这里设置"盛京将军"、"吉林将军"、"瑷珲将军”管辖这些地方。但是从16世纪末期，沙俄的势力就不断地往东推进，越过乌拉尔山向西伯利亚扩张。到了17世纪，终于霸占了西伯利亚，并建立了雅库茨克城。

明朝崇祯[1]十六年，罗刹兵曾经大举入侵，对黑龙江地区的中国百姓烧杀抢夺，无恶不作，最后要强占土地，终于引起当地百姓的反抗。清朝顺治六年，在沙皇的允许之下，又有一支六千名的军队来偷袭黑龙江，还带来一封信，要中国皇帝对他称臣，如果拒绝，就要出兵。到了顺治九年，清朝政府终于派兵对抗，但因为驻守黑龙江宁安的大将海色轻敌，虽然战到乌苏里江口，却因海色想要活捉对方将领，反而被大批增援的军队打得落花流水。他们步步为营，甚至追到松花江畔。后来清政府又派一支五十艘船左右的水军，大举进攻，收复失土，并且拆除了俄军的堡垒。这样一来一往，不知有几次。

到了康熙四年，他们又卷土重来，强占雅克萨地区，还在这里建立房舍，推行殖民屯垦，还分裂当地居民和大清的关系，笼络这些大清子民，让他们归顺俄国。康熙皇帝对罗刹兵及他们国家的无理侵略已经非常厌恶，但他又不打没把握的仗，所以先是以书面沟通，希望借着和谈让双方不至于再有战争。

可是沙皇也不肯屈居下风，他们最希望的是中国变成他们的殖民地，这简直是不可能的事。1669年和1670年两年之内，康熙皇帝

1 明朝在清军入关之前，国势已经衰弱。所以大清已经在关外的建州兴起。后来多尔衮率兵入关，明朝崇祯皇帝自杀身亡。

都派出使节前往尼布楚[1]谈判，要求沙皇停止对大清的侵略。可笑的是，因为当时缺乏翻译人才，所有的信件都没办法译，当然无法和谈。就这样两方的军队不断有零星的战争，各个村落也一下子归罗刹兵管，一下子又归属于大清的土地。不过沙皇的军队已经在一百多年之间，让疆域从欧洲延伸到亚洲的西伯利亚，甚至到了松花江畔。

萨布素和彭春两位将军所带的百余人的精锐部队，以打猎为名，正在黑龙江边境打探军情。他们距离雅克萨城大约三十里，所以部队的行动就越来越小心。他们也在行进的路途中，看见许多大清的子民，经过聊天之后，发现许多老人家都非常不谅解朝廷，认为朝廷已经不管他们的死活，他们几乎已经都归顺罗刹兵，连俄语都会讲了，因为罗刹兵对他们也很客气，只要不反抗，就不会杀害他们。萨布素和彭春两位将军对雅克萨城侦查得非常仔细。对于他们的碉堡、兵力、武器、大炮，多多少少有了解。两个月之后，他们回到北京，晋见康熙皇帝。

萨布素先说："启奏皇上，侵略军在黑龙江流域一带，一共建立了三十几个据点，雅克萨城的军队最多，大约有一千多人，其余的地方都是一两百人而已。也有些地方只有数十人，好像他们觉得不会再有战争，只是派几个人守备而已。"康熙皇帝又问："不知尼布楚和雅克萨两城之间的距离多远？尼布楚有罗刹兵吗？"彭春回答说："启奏皇上！尼布楚和雅克萨两城的距离约有一百里，城内大约有

1 尼布楚是位于中国东北边境的城市，因为中俄双方曾在此谈判而出名。

六百名守兵。”康熙皇帝又问：“二位爱卿认为要派多少兵力，才足以将罗刹兵赶走？”“启奏皇上，经过微臣讨论，大约三千兵力就足够了！”萨布素和彭春都这样认为。

康熙皇帝说：“东北地势复杂，太多兵力反而会暴露目标，现在你们提出三千兵力，正是朕所计划的！我已责成军需部门，提供你们最好的火力，毕竟罗刹兵装备精良，我们可不能掉以轻心啊！”他又说：“两位爱卿要记得，把罗刹兵赶出边境就好，千万不要赶尽杀绝，不必取他们的性命。朕希望能以和平的方式解决两国之间边境的问题。”

“臣谨遵旨！”萨布素和彭春两位大将离开京城，带着最新的兵力，包括火枪手，一起返回东北的营区。他们打算立刻训练军队，准备开战。

康熙决心对罗刹兵开战

就在解决台湾问题之后，康熙皇帝立刻集中精力对付东北的罗刹兵。康熙二十四年，皇上亲自下令给萨布素和彭春：“奉天承运皇帝诏曰：现今时机成熟，按原计划与罗刹兵开战。钦此。”

萨布素和彭春在接到圣旨之后，就立刻率领三千多名士兵，沿着松花江一路北上，有陆军也有水师，水陆并行，抵达黑龙江作战。

花了一年多时间，历经大小战役，终于驱逐了罗刹兵。

萨布素因为战功彪炳，以及协助居民建立黑龙江城，所以被朝廷封为第一任黑龙江将军。黑龙江城建成之后，彭春又再度带着一千多名士兵，往西前进。这支队伍配备有火枪五十支，大炮数十门，还有特别训练的藤牌兵[1]，可以说是大清最先进的部队。

他们来到了雅克萨城附近，罗刹兵看到大清的大队人马，纷纷躲到雅克萨城里面，不敢轻举妄动。彭春也不想追杀，因为康熙皇帝曾经口谕，希望能和平解决边境问题，不要造成太多的伤亡。可惜罗刹兵并不知感恩，他们用偷袭的方式让清兵也有伤亡。最后彭春终于率兵还击，并且擒拿侵略军的首领梅利尼克。

康熙皇帝得到战报，知道彭春屡建大功，现在又生擒侵略军首领梅利尼克，真是喜上加喜。朝廷大部分人都主张将罗刹兵的俘虏杀死，把他们的首级取下，挂在城门示众，这样一来才会吓吓这些罗刹兵。可是康熙皇帝仍旧不肯答应，他希望能把俘虏们放回去，希望沙皇能了解大清的诚意，愿意与大清和谈。

康熙皇帝写了一封亲笔信给侵略军的首领梅利尼克，请他带回去给沙皇，信里面说，如果他们从此撤兵，撤出东北边境，大清的军队也不会再有军事行动。康熙皇帝甚至仁慈到发盘缠给那些俘虏，让他们如同一般百姓一样，可以慢慢地回到俄国的故乡。就如同一百

1 藤牌即藤制的盾牌，坚固又有伸缩性，防护性能极好。藤牌兵在清朝历史悠久，在雅克萨与俄国人的战争中立了战功。

多年来的每一次中俄战役一样，这些罗刹兵在休息够了之后，就开始整治军备，然后又朝着大清的军队开火。

有一天清晨，清兵发现有一大群罗刹兵从雅克萨城出兵，又要大动干戈。彭春接到情报，知道来犯的罗刹兵大约有六百多人，而且还带着大批的火器、大炮。彭春驻守的古伊古达儿城，顿时就被包围。因为敌军有大炮，所以彭春下令军队不准随便开火，免得引起更大的损伤。

但是罗刹兵才不这么想，他们一看古伊古达儿城安安静静的，就开始猛烈攻击。这下子古伊古达儿城连城门都不敢开，站在城墙上的清兵，只有对墙外的罗刹兵发射弓箭，但是这时大炮却毫不留情地打了进来。

清军方面，彭春将军的部下们都一直劝彭春杀出重围，到城外决一死战，彭春一想到康熙皇帝的话，就不敢随便出去迎战，他想罗刹兵的炮火总有打完的时候。“我们要坚守下去，让他们继续发射，大家带着老百姓躲好，等到炮火真的停止了，就是我们的胜利！”万万没想到，罗刹兵的火力还真强大，他们根本不在乎打到谁，只顾一直往城内轰。连彭春都差一点被大炮打中，清兵死伤惨重。在猛烈的炮火结束之后，罗刹兵才回到雅克萨城。

这个消息传回朝廷，康熙皇帝气得说不出话来，1685年6月初，康熙皇帝下了圣旨：“命彭春为统帅，萨布素为副帅，即刻领兵进攻雅克萨城，不得有误！”康熙皇帝又下令，特加派五百名骑兵携带十

门重炮加入战役，一旦攻克城池，立刻将罗刹兵赶出边界之外，往后不得再侵入大清土地。

他们在听到皇上的旨意之后，立刻就调兵前往雅克萨城，因为兵力充足，武器又多，大家都信心满满。就在快到雅克萨城的时候，又有探子来报，说罗刹兵又从尼布楚调来百余名火枪手。

萨布素说："如果尼布楚方面开始增援，我们可能要先把这些兵力消灭，最后才攻雅克萨。因为雅克萨不仅有沙俄的人，也有大清的百姓呀！所以我们要小心行事，千万不要太急躁！"

大清的军队配备有五十门大炮，如果在短时间之内，同时往一个城发射，死伤当然会非常惨重。所以就在他们先把尼布楚的援兵全部打败之后，就开始往雅克萨城前进。原本清军也是按兵不动，但没想到罗刹兵从城内射出第一发炮火，让萨布素再也没有耐心等待，所以他一声令下，炮火齐发。猛烈轰炸三天之后，九百名的罗刹兵只剩下三百多人。罗刹兵的指挥官梅利尼克颓丧到极点，他很害怕萨布素继续轰炸，但又不肯投降就范。另一个指挥官托尔布津就对残兵说："如果我们不突围到尼布楚，就只有死路一条了！"所以他鼓励所有的残兵立刻杀出重围，想到尼布楚去另起炉灶。

彭春在大炮轰城的掩护之下，很快攻进了雅克萨城。托尔布津虽然带着兵马想要冲出来，已经完全没有机会，所以只好就地投降。萨布素把俘虏来的罗刹兵都做了一番告诫，对他们说："大清的康熙皇帝很喜欢和平，所以请你们不要再继续为非作歹，应该要快

清
清
清
清

一点回到家乡，过着种田的生活！你们可以活命都是康熙皇帝的仁慈，回家乡之后，请转告沙皇，不可以再来侵犯大清的土地。”

俘虏们低着头，嘴里念念有词，好像已经知道彭春和萨布素的意思。但是托尔布津却轻声而坚定地对一旁的同伴小声说：“我一定要再回到雅克萨城！”彭春和萨布素得到空前的胜利，罗刹兵的指挥官梅利尼克和托尔布津带着百余名士兵仓皇逃出城外，往尼布楚的方向而去。

两度攻克雅克萨城

康熙皇帝在京城很得意地对索额图和明珠宣布胜利的消息。他坐在龙椅上说：“两位爱卿，我军已经在雅克萨城得到最大的胜利，罗刹军队都已经回到他们自己的故乡了！依照两位的意思，现在东北边境应该没问题了吧？”

索额图直言说：“启奏皇上，臣以为如同前面几次的例子，依微臣之见，东北的问题不会这么容易解决的！大清东北的边境长达千里，侵略军只是在雅克萨城失败，他们一定逃到其他地方，去和自己国家的军队会合。”他停了一下又说：“皇上难道忘了梅利尼克上次投降，还带着皇上的手谕回去给沙皇，这次不就是守在雅克萨城而再度被俘虏？”明珠接着说：“是呀！他们利用皇上的仁慈，一再整兵再战，根本没有和谈的意思！皇上难道也忘了，沙皇曾经要我们大清向他们称臣，说是如此才有和平可言。”

康熙皇帝说：“是可忍孰不可忍。朕要彭春和萨布素攻破雅克萨城，就是要他们知道，大清的军队火力强大，希望他们可以主动撤离东北边境。”明珠说：“现在他们在尼布楚练兵，说不定几个月之后又卷土重来，我们的守军还是不可掉以轻心。”索额图也说：“像雅克萨城已经被我们攻破了，但我们却没有多余的军力去驻扎在那边，什么时候他们又回来也很难说！”康熙皇帝心里很不舒服，因为明珠和索额图讲到他心里的痛处了，罗刹兵来来去去，沙皇从来就不会忘记要多占一点土地。

果然，在公元1686年的春天，也就是康熙二十五年，罗刹兵在神不知鬼不觉的情况下，又把雅克萨城变成了自己的领土，还派出大队人马防守。就连尼布楚的军事力量也大增。沙皇还任命戈洛文为谈判大使，另外尼布楚的督军弗拉索夫为副大使。沙皇一贯的伎俩就是“战胜就强占土地，战败就和谈要土地”，所以才一面增兵一面又准备了和谈大使。

如同索额图所猜测的一样，梅利尼克和托尔布津又偷偷占领了雅克萨城，雅克萨城虽然已成断垣残壁，千疮百孔，但是他们不放弃，还大兴土木，建立城墙和架设大炮。更重要的是他们又加派了人手，有了一位领头的拜顿将军。托尔布津因为发誓要回到雅克萨城，所以记取教训，更是积极。他在雅克萨城的外围挖了一道很深的壕沟，城墙上筑的炮楼高达三十座。他还命令梅利尼克驻守城外，四

处巡逻，自己在城内统一指挥。

东北真是土地广阔，因为雅克萨城已经被罗刹兵占领了三个月之久，清兵才知道消息。萨布素将军知道之后，气急败坏地专程骑快马亲自回北京，赶紧禀报康熙皇帝。康熙皇帝怒不可遏："这些罗刹兵太贪得无厌了，我已经释放他们那么多次了，现在居然敢卷土重来，这次朕不会再原谅他们了！"

萨布素向皇上说："请皇上给我将功赎罪的机会，微臣一定要再次攻打雅克萨城。"康熙皇帝说："去吧！带着大清最好的火枪大炮，带着我们最好的军队，这次非要罗刹兵尝尝苦头。不管花多大的兵力，一定要将罗刹兵彻底消灭！你不必担心，朕一定支持你！"

萨布素这一次不仅准备了弹药和兵力，连厚厚的棉衣、粮食、帐篷一应俱全。而且还向彭春多领了一千兵力，带回黑龙江营区训练。6月下旬，萨布素带着必胜的决心，向雅克萨城进攻。十多天之后，他们已经到雅克萨城的外围，并且把雅克萨城团团围住。

梅利尼克发现自己的据点已经被包围了，因为他正带兵在城外巡逻，巧遇清兵正大举行军，他吓得立刻快马奔回雅克萨城，告诉托尔布津。

萨布素的军队在城外大炮的射程之外的地方扎营，所以雅克萨城新架设的三十门大炮毫无用途，气得守在城墙上的拜顿捶胸顿足，英雄无用武之地。萨布素知道雅克萨城已经增建得比以前更牢靠，所以也不急着攻打。他们就在外围驻守，慢慢观察雅克萨城内部的变化。如果直接攻城，双方武力相当，那么死伤一定难以估计。萨布素对他的部下说："如果我们围个一年半载，让雅克萨城得不到任何的补给，这样一来，他们就会因为粮食不够而出来投降！"

这果真是一个妙计，也充分证明当时萨布素向康熙皇帝要那么多粮食的原因。与此同时，随着萨布素的军队前来雅克萨城的百姓，利用当地的森林木材，就地盖起了简易的住屋，一方面可以遮风避雨，一方面又好像在建设一个新的村落一样，这样的举动，让罗刹兵看了，都快要发疯了！

不过，雅克萨城里的罗刹兵也不会太悲观，因为他们相信总有增援的部队会来到，这样就不怕清兵围城了。不久之后，在尼布楚的督军弗拉索夫知道消息，真的要派兵增援，可惜天寒地冻，天天下雪，气候恶劣，根本无法行进。

萨布素为了通过雅克萨城外的壕沟，也责成百姓去找最好的木板，有了木板就可以通过那些壕沟。双方都在斗智。两个将领都已经交手多次，彼此都已经知道对方的攻守方式。

很快三个月过去了，罗刹兵找不到增援的粮食或兵力，心情已经逐渐浮躁，他们的粮食快吃完了，接下来的日子可能真的会被活活饿死，所以就决定要攻其不备，利用清兵不注意的时候，先抢夺清兵的粮食。

在一个月黑风高的夜晚，雅克萨城里的罗刹兵由托尔布津带领，偷偷出城要袭击清兵。没想到萨布素早有防备，双方就在壕沟的

内外展开战斗，萨布素也把带来的大炮架好开火，让托尔布津的部队尝到血肉横飞的苦头。托尔布津的部队死伤惨重，所以雅克萨城里的拜顿将军一时之间也都不敢再出来应战。萨布素几乎是要赢得最大的胜利。

宣布停战签订《中俄尼布楚条约》

萨布素的军队士气如虹，决定要找一个时间彻底摧毁罗刹兵，不再放他们生路。就在这个时候，兵部尚书明珠和驻在此地的将领彭春一同出现在萨布素的军中营帐。

萨布素以为朝廷派明珠来，可能要为他这次的胜战再给予加官进爵，心情非常高兴。不料明珠说："皇上有旨！立刻停止一切战役，并速速离开雅克萨城附近！"萨布素将军和他的部下都一脸错愕，他们冒着生命的危险，出生入死，却又要他们退让。

明珠说："萨大人！因为沙皇已经派来了和谈的使者，现在正在赶往京城的途中，所以我们必须停战！"萨布素问："这次会不会又是他们的烟雾弹？"明珠说："皇上一向主张和平解决边疆问题，现在既然沙俄已经派来使者，我方只好停战休兵。"

经过明珠的解释，萨布素已经知道停战的原因，所以决定要立刻撤兵。不仅如此，他们撤离雅克萨城前还留下大量的粮食，并且派出军队为已经受伤的罗刹兵包扎疗伤，这都是康熙皇帝的旨意。

1688年5月30日，大清政府也派了谈判的使团前往沙俄。此次由索额图担任首席代表，第二谈判代表是国舅佟国刚。还有翻译官、侍卫和一支八百余人的护卫队。另外还有后勤部队一同前往，希望能和平解决边境问题。

就在这个时候，大清的另一个宿敌噶尔丹正在攻打附近的城市。这个消息，让索额图的谈判队伍进退两难。因为噶尔丹已经自立为汗，不停地侵占同为蒙古人的土地，还骚扰大清。大清的兵力不足，康熙皇帝只好下令表示，如果能愈快谈成愈好，对于边界的土地不必那么在乎。沙俄的代表戈洛文知道大清害怕战争，尤其害怕噶尔丹和他们连手一起攻打大清，所以狮子大开口，趁机要了不少土地。因为本来清朝希望以尼布楚为界的，也退让到额尔古纳河。

1689年9月7日，康熙二十八年，终于签订《中俄尼布楚条约》。这是中俄两国之间签订的第一个条约，共有六项条款。双方决定以格尔必齐河、大兴安岭以东、额尔古纳河为国界，以南属中国，以北属俄国。并且定有双方人员越界的处理原则，中俄贸易等内容。双方不再有战争，最重要的是康熙皇帝保存了东北领土的完整。

尼布楚条约的签订，使俄国合法地取得了尼布楚周围和以西原属于中国的土地，巩固了原先的殖民统治。最重要的是俄国打开了与中国通商的门户，虽然好像是大清的挫败，但是在这个条约之下，双方保持了一百多年的和平，这也是康熙皇帝的远见与功劳。

亲征噶尔丹

噶尔丹是准噶尔部[1]的首领。准噶尔原本就是生活在中国的西北或西南沙漠地区的游牧民族。他们的活动范围在伊犁河谷、塔尔巴哈台、额尔济斯河两岸以及乌鲁木齐地区。从中国的元朝开始，就有历史文字记载他们的生活。到了明朝，他们的各大部落，各自盘距在不同的地区，有时候因为争夺羊只牛马或是土地，就会有零星的战争。大家都希望自己的部落拥有更多财产或更多的牛羊。

大清帝国从始祖努尔哈赤开始，就很重视和这些部族的关系，所以大家都能和平相处。皇太极当政时，这些部族又分成漠南蒙古、漠北喀尔喀蒙古、漠西厄鲁特蒙古三大部。漠南蒙古就是内蒙，漠北喀尔喀蒙古就是外蒙，由于人数过多，又分为四小部。他们每年

---

1 在尼布楚条约签订的时候，外蒙古已经被来自新疆的准噶尔首领噶尔丹所占领。新疆地区分为几个不同的区域，由各部落的首领管理，和清朝的疆界划分不清，噶尔丹自立为汗，统一各部。

都对朝廷送礼进贡。清顺治年间，连部落的领袖过世，大清朝廷皇帝都还追赠封号，可见他们关系之密切。唯独漠北喀尔喀蒙古对大清毫不理会。因为他们的首领噶尔丹野心不小，他一再扩张自己的势力范围，不停地侵占别的部落，不仅同为蒙古族的百姓怕他，连大清朝廷也对他有所防备。

噶尔丹自立为汗

噶尔丹野心勃勃，连自己部落的兄弟也不放过，只要不遵从他的命令，就必死无疑。到康熙十七年的时候，噶尔丹已经完全统治了天山以北地区，可以说和大清平分天下。他的势力曾经到达漠南的乌珠穆沁一带，距离北京只有两三百里路，如果快马骑兵，两三天就能抵达，所以对大清的威胁很大。

噶尔丹气焰嚣张，不准蒙古各部落再给清廷进贡，要他们全部转捐供品给噶尔丹自己。他还学习大清朝廷那一套，拥有三宫六院和七十二妃。他自己为了利益，也和大清保持若即若离的关系。如果要来京城进贡，一次就派来一千人以上，一路上吃喝玩乐耗费巨大。因为来进贡的人，吃住的花费都是朝廷支出，他们带来了少许土产，却要清朝花大笔银子伺候这些蒙古来的“使节”。

噶尔丹的部下到京城来，肆无忌惮地吃喝玩乐，一点都不管会不会犯了王法，因为他们已经作威作福惯了，不在乎其他人的感受。

比如蒙古使节端木倪，他是一个年过半百的老头儿，在酒馆玩弄年仅十来岁的少女，等少女气绝身亡，他还大摇大摆地好像没事一样，大清的官员也不敢逮捕他。因为康熙皇帝怕他们会借机兴兵，所以只好将犯错的使节又送回蒙古，交回噶尔丹处置。

为了这些层出不穷的命案，康熙皇帝颁布了严令："凡噶尔丹所遣贡使者有印验者，限两百名以内准入边境，其余全在张家口、归化城等处贸易。贡使头目必须严刑约束所属，进京者若沿途抢掠、殃民作恶，即依本朝律例惩办，一概不得宽容。"希望借这样的严令，让所有的外国使节遵守法令。

到康熙二十四年九月，噶尔丹的另外一名使节依特木根，在北馆中和一个商人发生纠葛，不分青红皂白，就蛮横地把他打死。康熙皇帝对这件事表示绝不宽贷，因为已经有律文这样规定，就应该要好好遵守。于是康熙皇帝处死了依特木根，同时又传谕给噶尔丹，警告他，再有此事，还是一样的方式处理。

噶尔丹不仅对自己的属下纵容，还不停地用欺瞒的方式来对抗大清。因为他又和俄国沙皇订立盟约，暗地勾结，准备出兵夹击清兵。康熙皇帝知道了这个消息，就派遣大使到准噶尔谈判，结果噶尔丹不敢承认有联俄抗清的举动，并且还假惺惺地跪地交出敕书，表示永远臣服于大清。

可是三年之后，噶尔丹自己又率领三万大军，和沙俄在一起，镇压蒙古的同胞；战争非常激烈，喀尔喀部落几乎全军覆没。沙俄的首领趁这个机会引诱他们投降，沙俄跟他们说："这里距离沙俄的土地比较近，大家比较容易照应。"有很多王公贵族真的去投靠沙皇。

但是喀尔喀的首领向他们的老百姓说："俄国这个国家不信奉佛教，如果我们去投靠俄国，异言异教，和我们完全不能兼容。倒不如我们向大清投降，又可以受到康熙皇帝的照顾，还可以继续信奉佛教。"一般的老百姓，对宗教都非常信服。一讲到宗教信仰，大家当然会希望向康熙皇帝靠拢，所以有两万多漠南的子民，都投奔大清，这无疑给沙皇和噶尔丹一个大大的巴掌。康熙皇帝一得知这个消息，立刻命令尚书前去安抚这些民众，并且提供给他们些许银两，表示康熙皇帝欢迎他们来归。

噶尔丹也不是省油的灯，居然向康熙皇帝提出要求，意思是说，对于某些不归顺中国的人，应该把他捉起来惩罚。康熙皇帝根本不再吃这一套，反而责令噶尔丹应该把占领喀尔喀的土地交出来。至于那些难民，因为是康熙皇帝所欢迎的，都已经成为大清的子民，所以噶尔丹不应该有任何缉拿行动。这样的宣示，让噶尔丹也无法再升高气焰。

亲征噶尔丹

康熙为了稳定边疆局[illegible]己亲自率领了数万个八旗官兵驻扎

在张家口，还在绵延数千里的防线上布哨，不断操练，想让噶尔丹有所警惕。康熙皇帝又在营区举办两军会盟的宴会，借机好好款待蒙古军。这样的盛情，让蒙古各派的首领都感动在心。

康熙皇帝为了让蒙古的各派领袖都能见识到他的英姿，还特地举行阅兵典礼，康熙穿起战袍，骑着战马，出现在众人面前，一时之间，欢声雷动，鸣角齐发，整个漠南地区为之撼动。康熙皇帝自幼就学习骑射，所以他的马上功夫了得。康熙皇帝在这样的场合，特地表演了自己的射箭功力，他真是神准，十发九中，一旁的军士都拍手欢呼叫好。康熙皇帝还在大家面前说出对噶尔丹不满的事。他告诉所有的蒙古盟主，噶尔丹挑起战乱，祸国殃民，应该要好好地反省。康熙皇帝的表现，让所有蒙古战士及盟主都十分佩服，同时又确定了他对喀尔喀的管辖关系，他们都顺从了康熙皇帝。

噶尔丹并不放弃喀尔喀这个部落，他甚至去向西藏讨救兵，向沙皇要支持，目的只是希望他能统一蒙古各族，不让他们归顺康熙皇帝。噶尔丹明里暗里都和沙皇联络，因为沙皇一直觊觎中国的土地，所以暗地里也帮助噶尔丹，说不定有机会可以再向中国多要一些土地。噶尔丹对土地、权力是完全不会死心的。他兴兵的目的就是要满足他的野心。

康熙二十九年的五月，公元1690年。噶尔丹率领四万兵马，再度对喀尔喀发兵。康熙皇帝因为在前一年已经和沙皇订定尼布楚条约，所以向俄国大使说："噶尔丹一再宣称有沙皇的支持，有你们国家的军队帮忙，所以要去侵占喀尔喀，现在喀尔喀已经归顺我大清，如果你们再借兵给噶尔丹，就如同撕毁尼布楚条约一样，所造成的一切后果，你们要自己负责。”沙皇经过大使的转达，当然以自身利益为上，不敢再借兵给噶尔丹。

康熙皇帝分析局势，他认为一定要大清军队和蒙古军队都集结完毕，再一起向噶尔丹宣战。可是喀尔喀的少数军队，没办法理解康熙皇帝的计划，当他们看到噶尔丹的部队经过，就像世仇一样地开火，因为人数太少，以致又让噶尔丹占上风。

噶尔丹又利用蒙古军队想要到中原生活的心态，开出了很多条件。因为漠南漠北地区的生活艰苦，不像中原那般生活好，这个因素让这些蒙古兵更急于赢得胜利。他们个个凶猛顽强，所以清兵大败！接着噶尔丹又攻击乌珠穆沁，还深入乌兰布通，这个城市离北京只有七百里，让康熙皇帝非常生气。尤其西藏的达赖喇嘛又为噶尔丹选日祭旗，摆明在帮助噶尔丹，更让康熙皇帝火冒三丈。康熙皇帝立刻派出抚远大将军和硕裕亲王到蒙古讨伐噶尔丹。

噶尔丹的军队有数万名士兵，他们还利用沙漠特有的动物骆驼来帮忙作战。噶尔丹的军队把骆驼训练得会蹲在地上，让他们当活动的阵地。骆驼伏地之后，他们把湿的毯子放在驼峰上，然后士兵伏在下面，发射火枪，这样的举动让清兵一时之间乱了手脚。抚远大将军和硕裕亲王也不想再前进，而是用大炮猛烈地攻击。大炮的射程远，威力足，一颗颗炸弹落在敌营，炸得骆驼和士兵到处乱窜，

死伤不计其数。

噶尔丹损伤惨重，军力大损，连夜逃回自己的大本营。他派人送一封降书给抚远大将军。信中说：“请皇上原谅，自此之后不再侵犯喀尔喀。”抚远大将军和硕裕亲王高兴万分，在没有请示康熙皇帝之前就决定休兵，认为自己已经打了一场胜战。没想到这是噶尔丹的缓兵之计，这次竟然让他逃离危险的战场，回到他的老巢科布多。

康熙皇帝因为和硕裕亲王放走了噶尔丹，将他连降三级，并且训斥一顿，因为顽强的噶尔丹，绝对会再重回战场。他每挑起一次战争，朝廷就要花大把的银子。

康熙皇帝这回又派出索额图，一路奔波到达噶尔丹的老家，再次声明：不准再侵犯已经归属大清的喀尔喀！噶尔丹又用他的两面派手段，他对索额图说：“我战败之后，牲畜也没了，粮食也吃光了，百姓又穷又病，能不能请康熙皇帝拨些银子给我们？”大清帝国又一次上当，他们真的给了噶尔丹不少银子，让他有机会重整兵力。噶尔丹又开始跃跃欲试，他常常偷袭清兵，抢夺粮食马匹或财物。有一次噶尔丹喝醉了，还在营区中大声地叫嚣：“康熙呀康熙！你拿钱给我重整军队，好让我有机会砍了你的头！”

再度亲征，消灭噶尔丹

康熙三十四年，1695年的秋天，组织能力极强的噶尔丹又训练好三万大军，他复仇心切，又渡过克鲁伦河，准备再度进犯喀尔喀等地。康熙皇帝一听简直暴怒，因为一时的失误没能把噶尔丹抓住，现在又要浪费大笔经费来作战。朝中大臣议论纷纷，他们认为蒙古本来就属于他族所有，只要不侵略中原，不越过原来的区域，又何必去杀噶尔丹？还有人认为在冬天去围剿噶尔丹太辛苦了，因为冬天北地里到处都下雪，士兵们要忍受寒冷的天气，不如等到明年春天再出兵。

康熙皇帝说："朕原本想要放噶尔丹一条生路，让他归顺我大清，或是每年朝贡即可。现在他几次欺瞒朕，朕忍无可忍，一定要出兵。现在各位爱卿有人托老，有人贪生怕死，朕决定自己亲征噶尔丹！"康熙皇帝这么一说，满朝文武都跪在地上高呼"万岁"，并且有人上奏说皇上不必亲征，多派几位将军去围剿即可。康熙皇帝说："平定外患是重要的国事，朕不管风雪，一定要亲征！"

康熙三十四年（公元1695年）十一月四日，康熙皇帝出城，亲自率领大军，往蒙古边境出发。康熙的大军一共有七万九千多名，兵分三路，他自己也带领中军，比噶尔丹的兵力足足多了十倍。

噶尔丹一路士气如虹，他在出兵不久，又占领了巴颜乌兰。康熙皇帝所率大军决定要在巴颜乌兰和噶尔丹大战。康熙对漠南漠北的地理环境了如指掌，所以他自己设计的作战计划都是经过全盘考虑的。他令福全率两万兵马绕过巴颜乌兰，在西面埋伏，索额图和明珠各带一万人马在北边埋伏，自己则和萨布素一起正面攻击。

康熙皇帝每天五点就起床，天寒地冻，也一样撤营开始行军。他在营中每天只吃一餐，和所有士兵作息相同。他规定如果有军士骑马经过他的面前，也不必下马行礼，他觉得自己就和普通的将军一样，是去打仗，不是到外蒙古做皇帝的。

康熙皇帝带了许多大炮，一路以大炮挺进，先用大炮攻击对方阵营，再去占领。一百多门大炮，为康熙立了战功。噶尔丹向沙皇借到最新武器，也不怕清军的炮火，所以他就反击，慌乱之中也击中了清军十多门大炮，没想到清军没有退缩，反而一路英勇杀敌，深入敌军的营区，一瞬间噶尔丹的骑兵就损失了一半。

噶尔丹的军队死伤惨重，因为大清皇威浩浩，康熙皇帝亲征，有的士兵一听到对方是康熙皇帝立刻下跪求饶。噶尔丹又逃出重围，没被杀掉，但是他的部属，包括他的亲侄子，都向大清投降，愿意归顺。康熙对于投降的蒙古兵很仁慈，一律做适当的安排。对于他们的将士，如果投降愿意加入大清的军队，也尽量通融。

有一位名叫漠古来的小领袖，他的部队被康熙皇帝全部俘虏，康熙皇帝要他的部下归顺，漠古来说："我是噶尔丹忠诚部下，康熙皇帝不过是一只纸老虎，何必归顺他？"康熙皇帝说："大清皇帝就在你眼前呀！"漠古来大笑说："哈哈哈！大家都知道康熙皇帝只在宫廷中玩玩嫔妃，又瘦又弱，怎么会到战场上来？"在一旁的大清侍卫已经架刀准备要砍他的头，没想到康熙皇帝却说："让他来跟我比试比试吧！"

漠古来怀着仇恨之情大力挥拳，康熙皇帝纵身一跳就到他的身后，把他踢倒在地，一旁的侍卫立刻按住他的身体。现在漠古来终于相信这真的是康熙皇帝，因为大家都听他的指挥，而且还高呼他“皇上”。漠古来跪地向康熙皇帝求饶：“请给我机会加入大清的行列！”康熙皇帝真的不仅没杀他，还让他升任将领，带着部队攻打噶尔丹的残兵。因为康熙如此对待蒙古的降兵，所以很多噶尔丹的士兵都纷纷归顺大清，康熙不战而胜。

康熙皇帝所带的一名将领费扬古，自愿去追杀噶尔丹。康熙皇帝的仁慈是天下皆知的，但是对噶尔丹这个人来说，康熙皇帝已经失去耐性，因为他已经欺瞒康熙太多次了。

噶尔丹的少数兵力对费扬古的大军，根本是无法抗衡，所以噶尔丹就开始杀害自己的部下，只要有人提出投降的意见，他就立刻将他杀掉，残暴不仁。费扬古终于逼近了噶尔丹的帐篷，噶尔丹自知无法再逃脱，就拿起利刀，插进自己的胸口，结束了自己的一生。

康熙皇帝亲征噶尔丹大获全胜，这让大家更加敬爱他，也确立了他在朝廷中的地位，原本不服他的老臣都对他钦佩有加。康熙皇帝的胜利不仅仅是打败了噶尔丹，而且是统一了西北地区，让漠南漠北的居民全部归顺大清，同时也对沙皇默默地宣布：大清的土地，不容许外国人再来侵略！

解决西藏问题

西藏是中国的一块神秘而广袤的土地。西藏古称“吐番”[1]，自从元朝的蒙古贵族崇敬喇嘛教派之后，喇嘛就成了政教合一的重要角色，他们的政经世界是复杂的。因为他们政治上的最高领袖，就是他们宗教的掌门人。

西藏从元代开始就有几个教派。一个是宁玛派，称为红教，因为他们都穿着红色的衣冠。后来因为宗教的改革，又出现着黄色衣冠的，称为黄教。其中有人数较多势力较大的格鲁派，也有号称白教的噶举派，还有木布派就是黑教。这几个大的教派，利用宗教管理当地的民众，一直以来都是如此，喇嘛等于是当地的政府官员。

到了明朝中期的时候，黄教的首领索南嘉措前往青海地区，建

1 吐番是西藏的古名。唐朝和吐番和亲，藏族在西藏高原建立了吐番王朝，松赞干布是吐番历史上一位杰出的领袖，在他积极的推动下，吐番和唐朝的关系日渐亲密。但一直到清朝，这个地区还是没有完全和大清划定疆界。

立了仰华寺，为蒙古族的淹答汗受戒传法，淹答汗非常感谢他。由于淹答汗自己是被明朝皇帝敕封的顺义王，所以就赐封索南嘉措为“达赖喇嘛”。“达赖”的意思在蒙古来说是“有智慧”、“智慧大海”的意思，被赐封为达赖喇嘛，是很光荣的事。

从明朝中期，西藏地区就有了达赖喇嘛的尊号。黄教的首领索南嘉措回到自己的故乡西藏之后，被所有的人视为“活佛”。甚至连红教的人都伏首祈拜，以弟子自称，改信奉黄教，所以黄教的势力日渐庞大。

达赖喇嘛为了要宣传自己的教义，巩固自己的地位，就想出一套指定继承人的方法，即找出“转世活佛”来继承。但是黄教规定达赖不能结婚，所以就不会有自己的亲生后代。因此他们就依据在达赖死后手指所指的方向，去找一个人来当活佛，继承达赖的位置。这和红教的父子相传差异太大了，所以教派内部不断地有不同的见解。

康熙元年（1662年），四世班禅圆寂，其弟子为他寻访转世灵童，班禅活佛转世系统由此建立，使得黄教成为西藏的“藏教”，达赖喇嘛和班禅都是西藏的领袖。“达赖”管理西藏地区的“前藏”，首都位于拉萨的布达拉宫。“班禅”管理西藏地区的“后藏”，首都在日喀则的扎什伦布寺内。

清廷自入关当政之后，几代皇帝都很重视他们和西藏的关系。达赖和班禅两个人，也曾经风尘仆仆地到北京晋见顺治皇帝。顺治皇帝为他们接风，一起坐在太和殿，彼此的座位没有尊卑之分，给予最大的尊重。除此之外，就如同其他属国一样，他们也有书信来往和送贡品的礼仪。他们送顺治皇帝金佛、念珠以及其他珍贵的礼物，顺治皇帝还正式册封过他们两人。

假喇嘛抢政权

康熙初年，青海蒙古因为放牧的地方和清军发生过冲突。在三藩之乱的期间，平西王吴三桂也曾经派人极力联络达赖喇嘛，希望他们也趁机支持吴三桂一起兴兵，攻打大清的军队。甚至在康熙十四年，西藏的达赖喇嘛趁机攻打清军，并且窃得土地。康熙皇帝曾经希望西藏方面可以帮助大清一起围剿吴三桂，但是他们却按兵不动，所以康熙皇帝对西藏的达赖是有些不满的。

到了康熙十八年，蒙古族的准噶尔部落不断要求他们合作，希望一起对抗大清。尤其是噶尔丹为了要达到目的，还拜达赖为师父，并以兄弟之邦相称。五世达赖在圆寂之后，他们的高级官员桑结嘉措并没有按照规矩对外宣布消息，反而利用噶尔丹的王牌骑兵，立刻控制大权。之后又找到一位面貌相似的人，坐上达赖喇嘛的位置，桑结嘉措自己则掌理大权，统治西藏。

爱权力的桑结嘉措和噶尔丹勾结，假传达赖喇嘛的圣意，把自己的心腹济隆派给噶尔丹当辅佐大臣，胡作非为，并和大清的军队

对抗。康熙皇帝怎么也不敢相信达赖喇嘛会这样回报大清。因为西藏距离京城太远，所以康熙皇帝根本不知道真正的达赖喇嘛已经过世，当然更不知道桑结嘉措所搞的假政权。

康熙皇帝曾经对济隆严正地警告：如果你抗旨，朕可以劝你反悔；如果你一再抗旨而失败，朕也会不客气地加以惩罚。你自己的领地也有法律，相信你顽固的抵抗，也会受到处罚。康熙皇帝期待济隆不要顽抗。

康熙三十二年，公元1693年，济隆出主意让桑结嘉措到京城去晋见康熙皇帝，要求讨封。因为讨封赏是西藏那边的民族特性，所以康熙皇帝也没怀疑他。康熙皇帝因为不知道真正的达赖已经死了，所以对他的臣子桑结嘉措来晋见，当然会准他所请，立刻赐封他为“土伯特回正”[1]，还送给他一个金印，表示了他的身份和地位。

因为桑结嘉措有了康熙皇帝所赐的封号，又有康熙皇帝送的金印，所以已经满足了他要管理西藏的野心。桑结嘉措也真的称起了王。他进一步勾结噶尔丹，以土伯特国王的名义，奏请康熙皇帝撤走驻扎在青海的清兵。如果康熙皇帝准其所奏，那么青海地区对噶尔丹来说就是探囊取物。

康熙皇帝知道自己上了这个家伙的当，真是气愤不已。“他的做法和噶尔丹有什么不同？都一样是叛军，一样要我大清的土地和财产。”康熙皇帝在宫中对着自己的文武百官发牢骚，他当然不会准其

1　土伯特是清朝对西藏地区及当地藏族的称谓。

所奏，让桑结嘉措吃了闭门羹。

清军在攻打噶尔丹的战役中，从一些缴回的战利品当中，发现了桑结嘉措和噶尔丹往来的信件文书。又从战俘的口中证实真正的达赖喇嘛早就死了，所以康熙皇帝对桑结嘉措的行径非常生气。康熙除了修书去告知正在日喀则扎什伦布寺内的班禅，还派了理藩院的主事去西藏，要桑结嘉措交代事情的经过，并要求把济隆押送来北京处置。

康熙皇帝向桑结嘉措提出的疑问是：一、为何要隐瞒达赖喇嘛圆寂的事实？二、为何勾结噶尔丹兴兵作乱？三、为何不让班禅协助西藏的管理，而要自己发号施令？四、为何把大将军济隆派给噶尔丹，为虎作伥，帮噶尔丹做事？康熙皇帝对理藩院的主事说，如果桑结嘉措不给一个老实的答复，他就要像亲征噶尔丹一样自己率队出兵西藏。

桑结嘉措借口自己有病在身，无法到北京晋见康熙皇帝，所以只是用上疏奏本回答。桑结嘉措说："达赖喇嘛已经圆寂十六年，因为当时西藏不太平，所以他才暂代职务，现在新任的达赖喇嘛已经十五岁了，会及时把职位交还给他。"奏本上又说："济隆迟迟不送去北京，是因为济隆自己已经年老体衰，而且他的家产都已经被没收，且做了处理。至于噶尔丹的女儿因为是嫁到西藏来，所以她的行为和她的父亲无关，不能因为噶尔丹叛乱，就连他的女儿也要被杀！"

桑结嘉措果然按照约定，很快就真正扶正了第六世的达赖喇嘛。他自己的行径也好像收敛了些，但是他真心想要掌理西藏的野心，并没有因此而打消。所以这期间桑结嘉措就在西藏和蒙古之间故意制造冲突，西藏各派系和蒙古之间的矛盾，都是因为有人想要挟持达赖以增加自己的权力。

桑结嘉措并没有得到最后的胜利，因为他被西藏的另一位领袖拉藏汗杀死了。拉藏汗有自己的势力，加上部分派系也协助他，所以才能打败桑结嘉措。

寻到真正的达赖喇嘛

拉藏汗的第一件大事并不是扩张自己的权力，而是写信告诉康熙皇帝西藏的情形。他说，现在的第六世达赖喇嘛，可能是桑结嘉措虚构的一个人而已。康熙皇帝早就听说，现在的达赖喇嘛行为举止都不像一个仁慈的活佛，因为他纵情酒色，把皇宫当成他自家一样玩乐，和真正的达赖谨守分际、尊重天地的形象相差太多了。

康熙皇帝为了要安定西藏的局势，所以就任命拉藏汗为“翊法恭顺汗”，并赐他金印。原先由桑结嘉措找到的第六世达赖喇嘛，因为自己的纵欲，所以身体十分虚弱，在康熙皇帝命令他到京城接受讯问的时候，因路途遥远颠簸而死于半路。

拉藏汗就在康熙皇帝的旨意之下，重新找寻达赖喇嘛六世。可

惜凡人总会被权力冲昏头，拉藏汗有了“翊法恭顺汗”的名位，又有了康熙皇帝的旨意，终于因受宠而不再理会其他部落的领袖。他不希望别人对他有任何意见，一意孤行，很快找到一个名叫意希嘉措的转世神童。等到意希嘉措在布达拉宫要正式继位的时候，又引起其他僧侣的反对，西藏的局势又开始混乱。也就是说这位恭顺汗一开始执政，就已经没有人愿意服从他，于是西藏又再度陷入危机。

康熙皇帝知道了这个消息，只好派内阁学士拉都浑带领青海的各部落领袖，一起到西藏去查验意希嘉措是否是真的喇嘛，是不是真的活佛。看到西藏青海各地的不和睦，康熙皇帝只好以达赖喇嘛年幼为理由，委派侍郎赫寿到西藏地区去辅佐处理西藏的事务。因为这个缘故，赫寿就在无形中成了第一任的清廷驻西藏大臣。

西藏的许多部落领袖因为有了赫寿在其间协调，所以就敢大胆地提出意希嘉措不是真的转世达赖，应该要再重新找一个真正的西藏活佛。后来大家又找了一位名叫格桑嘉措的幼童，认定他是真正的转世灵童。

这样复杂的西藏活佛认定问题长达九年之久。时间虽然拖得很久，但康熙皇帝并不觉得心烦，因为他认为一定要找到真正让西藏人相信的活佛，才能让西藏的领袖信服，西藏才会恢复平静。

康熙皇帝在想，整个西藏的人事，不知谁是真的？谁是假的？谁是可以相信的？谁是不该相信的？这让康熙皇帝不禁摇头叹息，不知如何处理才正确。

此后不久，西藏的三大寺院[1]又透过赫寿上奏康熙皇帝，绘声绘色地说，当年的达赖五世并没有死，因为要避开噶尔丹的战乱与威胁，所以他才逃离布达拉宫，所谓的“圆寂”，只是一种保命的方法。

面对如此复杂的情况，康熙皇帝又希望早日平息西藏问题。现在既然是西藏三大寺院提出的意见，就姑且听之。况且他以前真的有听过这个传闻，经过朝廷议事大臣的会议，也有人有相同的意见，所以康熙皇帝就下了旨意，将胡必尔汗封为达赖喇嘛，护送他回布达拉宫，并安全地让他坐上达赖喇嘛的尊位。为了担心各部落的领袖再度起争执，康熙皇帝派了八千名大军，护送新的达赖喇嘛，让他可以顺利登上宝座。

尽管有的大臣认为西藏问题不应该出动大军，但是康熙皇帝认为，西藏问题一定要有军事力量介入，因为他自己已经平定三藩、收复台湾、解决罗刹兵的侵略以及亲征准噶尔，这些事哪一项不是用武力解决呢？所以他相信大清的军威，一定能吓阻西藏的异议人士。

康熙皇帝命自己第十四个儿子胤禵为抚远大将军，又做中路军，如果在危急的时候，可以迅速地调动军队。康熙皇帝又授予葛尔弼为定西将军，从云南率兵北进。派富宁安、傅尔丹等将军，分别由巴里坤、阿尔泰出发，他们是北路军，这样就可以包抄西藏各地。

1 西藏藏传佛教格鲁派有三大寺院：甘丹寺、哲蚌寺、色拉寺。

康熙皇帝敕封胡必尔汗为“弘法觉众第六世达赖喇嘛”，同时也下旨给日喀则的班禅，告诉他为了西藏的安定，希望班禅能承认并支持新的达赖喇嘛为正式的统治者，同时告知他们出兵的原因。

公元1720年，也就是康熙三十九年，各路清兵经过长途跋涉，都如期抵达拉萨。这一天，西藏各个教派领袖，都一起来到拉萨参加胡必尔汗的继位大典。平逆将军延信宣读康熙皇帝的诏书。此时心中再有对达赖喇嘛不满或有意见的人，也都不敢再吭声了！

西藏很快建立起应有的行政系统，清军的总督帅平逆将军延信也担任临时军政府的“总统官”，之后西藏就和平地和大清相处。

仪式之后，所有进入西藏的噶尔丹遗党，也都被处以极刑。不过康熙皇帝对于先前的拉藏汗有一点愧疚，因为他在没有调查事情真相的情况下，就让赫寿去逮捕他，以拉藏汗的贞烈个性，当然会因拒捕而丧命。因为这个缘故，康熙皇帝表彰了拉藏汗之前对西藏安定的贡献，追认他为“遵文行义忠勇拉藏汗”，还为他补办了隆重的葬礼。康熙皇帝对自己的疏忽是不会隐瞒的，这种诚实精神，也感动了许多西藏的喇嘛，对康熙皇帝也更加臣服。

西藏问题实际上牵涉到新疆、青海及蒙藏地方，还有红教和黄教的问题。康熙皇帝先是消灭噶尔丹，阻止他的野心，用文攻武略让西藏问题获得解决。在康熙皇帝的主导下，西藏问题终于妥善地得到解决。

康熙皇帝和西洋文化

康熙是一位有学问的皇帝，他平时不仅勤读中国古书，而且对西洋文化也非常有兴趣。

西方有一批传教士，在明朝末年就来到了中国。他们不仅是来传教，还有人担任明朝的官员。这批传教士并没有因为改朝换代而回到故乡，反而因为向大清投降，得以继续留下来工作。他们大部分被留在钦天监工作，其中有一位名叫汤若望，非常有名气。

明朝末年，西洋人将计时用的钟传入中国，中国人因为不知道它的用途，所以认为是稀奇的珍宝。顺治十年，世祖皇帝也获得一个小自鸣钟，他随身携带不曾离身。到了康熙皇帝的时代，他已经知道自鸣钟内有发条，而且了解制作方法，可见康熙皇帝对西洋的东西、对稀奇的东西，都有研究的兴趣。

中公历法争议

康熙皇帝即位时，正好碰到中公历法的争议。其实中公历法早有争议，会再度被提起，是因为康熙皇帝才刚继位，新旧大臣想用这个议题来互相较劲。

康熙三年，许多满族的大臣，不满洋人也到朝廷当官，所以就趁着顺治皇帝才死不久，由鳌拜等四位大臣辅政的时候，弹劾洋人汤若望，要将他逮捕入狱，并且要恢复旧历来计日，不要再使用阳历。没料到鳌拜、杨光先他们要弹劾汤若望的时候，正巧北京发生了一场惊天动地的大地震。迷信的满人以为上天要惩罚他们，就立刻释放了汤若望。不过因为汤若望有病在身，出狱不久就过世了。汤若望的助理南怀仁，暗中继续观察天文的变化，并如实做记录。

康熙七年，杨光先果真又开始想要对南怀仁等人进行报复。这时候康熙皇帝对鳌拜的抓权干政非常反感，所以他就故意要杨光先和南怀仁两个人在朝廷中作解说，让康熙皇帝鉴定一下，谁的推算才正确。不料志得意满的杨光先错误百出，而南怀仁的推算正确无误，无懈可击。所以康熙皇帝就废了原先使用的《大统历》[1]和《回历》[2]，并宣布采用西洋人编的《时宪历》[3]。康熙皇帝对杨光先做出

1 1644年大清政府颁布《时宪历》，根据西洋的历书编成。其实在明朝时就已经完成这些研究工作，但因为大臣的反对，始终没有机会使用。

2 明朝沿用的历法，但不很准确。

3 伊斯兰教的历法，以622年为伊斯兰教历纪元，计法独特。

处置，解除他的职位，让南怀仁回到钦天监工作。

和传教士一起读书

经过这次的历法之争，康熙皇帝深刻地体会到西洋科学的精准。因为他是一个实事求是的皇帝，所以对西洋科学产生了兴趣。他开始向南怀仁学习西方的自然科学知识。

这些事情传到了欧洲，法国国王知道了之后，就派了一支队伍，他们全都由专家学者组成，在康熙二十年的时候，来到中国。这些成员中有：白晋、洪若翰、刘应、罗先德、安泰等人[1]。他们到中国以后，先学习满文和汉文，然后经过甄选再进入宫廷为康熙皇帝服务。这些传教士都会讲满语，看得懂满文，能和康熙皇帝交谈。

根据西洋的传教士记录，当时康熙皇帝向他们学习的科目很多，包括数学、天文、地理、医学、哲学、拉丁文和音乐。

白晋曾经这样记录："康熙皇帝每天都宣我们进宫为他讲课，他听得很认真，还会重复我们讲的内容，经过五六个月，他对我们所讲的几何学，已经都懂了。康熙还对我们说，我们教他的几何学，他自己至少读了二十次。不管几何学有多难，不管我们语言沟通有多笨拙，康熙皇帝还是表现出非常细心学习的样子。"

1 康熙二十年左右，法国派来一整团的传教士，其中白晋（Joachim Bouvet）喜欢记录康熙的事情，成为西方国家认识康熙最好的方式。

“康熙皇帝对学习的兴趣很高，每天都让我们到宫中讲课几个小时，有的时候晚上也会去，无论什么时候约我们，他总是早早就在那边等候，一直都有不同的问题可以和我们讨论。他急于请教已经教过的问题，或者向我们提出一些新问题。”

数学是康熙皇帝所喜欢的科目。他学会了几何问题，就急着在他读书的“畅春园”教给国内的专家。他还命令这些传教士把有关的几何、三角等数学科目，用满文和汉文编写成教科书，让更多人学习。康熙皇帝还学会球体、正方体、圆锥体的体积计算方式，而且也利用数学学会丈量河道的方式。所以在开凿运河的时候，康熙皇帝甚至可以指挥工程师如何凿河，把所学的知识都运用在工作上。

康熙三十二年，康熙皇帝患了疟疾[1]，朝廷的御医都束手无策，满朝文武官员非常悲痛，紧张得不知如何是好。还好康熙皇帝相信西洋医学，用传教士给他的奎宁丸（金鸡纳霜），结果治好了病，大家都松了一口气。因此他还特别安排一个场所，让白晋等人为他制作西药。他自己也相信解剖学，知道人体中的器官有不同的功能，对于医学的东西更是仔细阅读。康熙喜欢西洋人酿的葡萄酒，认为它具有滋补的功效。他还认为葡萄酒治愈了他的心悸毛病，所以他还会盼望西洋的船只到来，送给他葡萄酒。康熙皇帝出巡的时候，除了御医之外，也有外国的药剂师一同前往。

南怀仁教康熙皇帝地理，又有其他传教士的影响，因此康熙皇

1 疟疾是一种传染疾病，以周期性冷热发作为最主要特征。

帝的心中有整个世界的观念。南怀仁自己写了《坤舆外记》[1]让康熙皇帝了解世界各国各洲的状况，所以康熙皇帝才会派人到欧洲及俄国访问。康熙皇帝自己也喜欢搜集边疆的地理资料，作为治国的参考。

康熙皇帝自己常常竖一支小旗子，来探测风的方向。这是因为他对大气科学有概念，并且命令近北京的各省，要呈报下雨或刮风的资料。他非常重视气象数据的搜集，因为这样可以得知未来的气象情况如何。康熙皇帝也曾自己亲笔画出正午日影的所在，好像是外国人画的钟一样。并且他把这幅图像放在乾清门的正中央，还叫许多大臣们一起看看，欣赏他一丝不差的研究成果。

南怀仁送康熙皇帝星象图报时，康熙皇帝利用它找出二十八星宿，所以他也知道猎户星座的位置。康熙皇帝对天文地理之研究，真是有兴趣又彻底。

康熙皇帝命令中国的专家跟着传教士学习测量、勘查，并且绘制了一部《皇舆全览图》[2]，那几乎是当时最好且最准确的中国地图了。康熙皇帝自己则利用这些学到的地理知识，在亲征准噶尔的途

1 比利时传教士南怀仁的中文著作，介绍世界地理。

2 《皇舆全览图》为清朝所绘的地图。公元1708年由康熙帝下令编绘。地图描绘范围东北至库页岛，东南至台湾， 西至伊犁河，北至北海（贝加尔湖），南至崖州（今海南岛）。绘图人士有耶稣会的欧洲人士雷孝思、白晋、杜德美及中国学者何国栋、索柱、白映棠、贡额、明安图以及钦天监的喇嘛楚儿沁藏布兰木占巴、理藩院主事胜住等十余人。

中，一路上记下所看到的地势山川、水利农业等等有关的资料，作为大军行军的参考，也作为指挥军队的参考。

另外康熙皇帝还派人到黄河和长江的源头去勘查，作为他防治水患的依据。康熙皇帝使用科学方法治水，和西洋传教士的教导是很有关系的。

因为国内战乱不少，所以康熙希望有一些先进的武器，他在三藩作乱期间，就要南怀仁制作新的火炮，结果完成了四百四十多门，并训练了两百多名炮手，这都是西洋人的专长，一时之间大清的武力增加不少。

康熙皇帝还利用这些传教士去帮忙翻译做外交工作。例如签订尼布楚条约的时候，洋人徐日升和张诚都一起去俄国。早期荷兰人到京城朝贡，传教士也当翻译人员。

康熙三十二年，白晋代表中国回到法国，晋见法王，并向法王要求多派传教士来中国协助，这都是康熙皇帝的远见。不过康熙皇帝只希望西洋的传教士来工作，并不希望他们真的来传教，甚至还有禁止传教的举动。他对南怀仁特别好，所以准他“照常自行”，其他人一律不准。

康熙皇帝让这些传教士在宫廷为他讲课，领朝廷的俸禄，有的传教士也在中国终老。因为这些传教士为康熙皇帝完成了制作火炮、协助签约等事，康熙皇帝为了感谢他们，对他们的传教活动也没有大规模地禁止。但他担心百年之后会有太大的影响，所以禁止他

们有干涉朝政的行为。禁教的命令说明康熙皇帝是以自己国家的政权为优先考虑的。康熙皇帝和西洋人之间的交流学习，可以说对大清也有深远的影响。

和欧洲国家的外交工作

康熙皇帝和传教士的交往其实有互相利用之嫌。因为传教士的最终目的是要把天主教或基督教传入中国，而康熙皇帝巧妙地运用他的身份和职权，让传教士为宫廷服务。

康熙皇帝为了让欧洲的皇室了解大清帝国，宣扬国威，就派出传教士做外交工作，因为他们在西洋教会服务，又领大清俸禄。部分传教士回到自己的国家，进行敦睦邦交的工作。可惜十七世纪的交通不便，只能靠小小船只航行在茫茫大海中，因此因海难而死的传教士不少，也有返回欧洲之后就没有再回北京的，所以就没有双向外交的事实。

到了康熙三十七年，公元1698年，康熙皇帝又派了法国的传教士白晋担任大使，带了很多书籍当礼物，回到他的国家去晋见他的国王路易十四[1]，请求法王答应他，征求更多的具有科学知识的传教士到中国来工作。路易十四本来就有心向外国发展，现在又看到自己

1 16世纪的大清康熙皇帝、俄国彼得大帝、法国路易十四并称东西半球的三大明君。法国国王路易十四（1638—1715）被称作“欧洲的主人”、“世界上最伟大的国王”。

国家的传教士在中国那么受欢迎，就更加高兴，所以不仅嘉勉白晋的辛劳，还替他保证可以找到更多传教士到中国服务。白晋在法国简直变成了东方问题的专家，而且也成为真正的大清代表，很受各界重视。两年之后，白晋真的带回了十几位传教士来中国，这些专家当中的巴多名和雷孝斯等人，也协助完成绘制《皇舆全览图》。除此之外他们也做一些翻译书籍的工作，对天文医学及其他译书工作都很有贡献。

由于天主教的关系，康熙皇帝对意大利也很感兴趣。他一直想派人去了解意大利或是做双方的使者。康熙四十六年，公元1707年，山西省平阳县有一位中国籍的天主教徒樊守义，他奉派随着一批西洋的传教士一同前往欧洲。樊守义出国的时候乘船经过好望角，绕过南美洲的巴西，又经过葡萄牙，直到康熙四十八年才到达意大利。

樊守义一去就是十年，一直到康熙五十八年才启程返国。樊守义专心地在罗马等地留学十年，认真地学习。他回国之后还被康熙皇帝召见，所以也将在欧洲的所见所闻向康熙皇帝一一报告。樊守义将自己在意大利的所见所闻，写成一本六千多字的《身见录》，让当时有兴趣了解意大利的人可以参考。他特别提到意大利的名胜古迹、教堂以及图书馆，可以说这十年的心得非常丰富。这是中国人到欧洲的第一本纪实作品。

就这样白晋和樊守义开启了中国和西方交流的门户，让有心了解

西方文化的中国人也有渠道了解。

中国古书翻译成洋文

由于康熙对西洋数学、医学等等学问孜孜不倦，所以也有许多心得，他在皇宫的养心殿设立了一间特别的读书房，让这些西洋的传教士和他一起研究学问。这些传教士通满语、汉语，研读中国书籍，了解各地风土民情，所以他们本身就都是汉学专家。

中国的古书经过这些传教士的阅读之后，他们就做系统的翻译工作。例如，刘应翻译《易经》，卫方济翻译《四书》，白晋翻译创作《易经大意》，冯秉正翻译《通鉴纲目》，贺苍璧翻译《诗经》。

其实中国书籍的翻译工作开始于明朝末年的利玛窦[1]。利玛窦在明朝末年的时候到中国来传教，那时传教士们就开始翻译《四书》，而真正翻译其他古籍作品，是到康熙皇帝之后才有的。这都因为康熙皇帝时期对传教士特别照顾，传教士才着手翻译的。

康熙皇帝自幼年起就系统地研习中国儒家经典。有老师专门为他写一套讲义，例如《日讲易经解译》、《日讲书经解译》、《日讲礼记解译》、《日讲春秋解译》等等，后来又有《御注孝经》、《孝经集注》、《书经传说汇纂》、《礼记义疏》、《诗经折中》、《周易折中》

1　公元1582年，意大利传教士利玛窦来中国。他的著作由李之藻笔录，著有《浑盖通天图说》、《经天该》、《乾坤体义》等。

等等，这些经过康熙皇帝或他的讲学老师专门挑选而加以解释的书籍，对西洋的传教士来说，就不必直接去读艰深的古籍原文，反而让他们觉得容易翻译。

另外可能是因为康熙皇帝对中国古籍特别喜爱，所以早就有许多的满文译本，而欧洲的传教士大部分都精通满文，所以更容易看懂中国古籍，当然对于翻译工作就事半功倍了。例如冯秉正翻译《通鉴纲目》之后就曾经说："我完全是靠满文知识，才有信心翻译本书。"中国古籍翻译及西传，多少和满文本儒家经典很有关系，所以康熙皇帝对中国文化的输出，也是大有贡献的。

大清和西欧的国家，在康熙的年代也有贸易的关系。欧洲来华的船只非常多，从欧洲输入台湾的商品大约分为两部分。一是南洋转来的香料、药品、棉花、黑铅、鱼翅等等；另外是由欧洲直接进口的毛布纺织品、自鸣钟、玻璃镜、仪器等工业产品。康熙皇帝本人对欧洲贸易十分关心，他下令要广东海关将对西洋船只征税的办法更改为对西洋比较有利的，这实际上就是为了要鼓励西洋人多多来大清贸易。同时也下令要他们的巡抚或总督，如果有西洋船只来到中国就要速速向朝廷报告，包括货物的名称，朝廷也想知道，以便做了解并分析。

康熙皇帝曾因祭祀和敬天祭孔的事和罗马教廷有过冲突[1]，但他也希望罗马教廷能来信说明，这也是他关注西洋宗教的表现。

中国和西方的接触虽然从十三世纪马可波罗就已经有记录，但那个时候大部分仅限于丝绸、茶叶、瓷器的输出。到了明朝时期，有一批很有学问的西方传教士来到中国，让当时部分中国人见识到了西洋文明，虽然后来发生战乱，大清帝国取代了明朝，但这些传教士还是在宫廷中服务。到了康熙皇帝主政时期，康熙皇帝由于爱好西洋文化和科学，促成了更多的中西文化交流，这也是他的重要贡献之一。

1 康熙皇帝对西洋传教士特别通融，主要是因为他们也允许中国教徒祭祖祭孔敬拜偶像，但这些都不是西方天主教规允许的。所以后来教皇限制中国教徒有这些行为之后，引起康熙皇帝的不悦，甚至交恶。康熙皇帝认为西洋传教士已经侵犯到内政，所以也不准他们传教。

整治水患

大清的都城在北京，北京和黄河[1]、淮河的距离很近，年年泛滥成灾的黄河、淮河，对康熙皇帝来说，是心头之痛。

黄河的含沙量很大，沿途不断淤积，因此到下游地区时河道都已经比地面还要高，所以只能靠不断筑堤，让河水不至于泛滥。可是一旦来了大洪水，冲垮了河堤，灾害又比原本的情况更严重。一到大雨季节，黄河两岸的各大城市、各个村落，纷纷传出灾情。这些地方的老百姓，整年的收获都付诸流水，有的人甚至变成乞丐也讨不到饭吃。

康熙皇帝为了这事，曾经在朝廷的议政王大臣会议上说："以前

1 黄河发源于青藏高原巴颜喀拉山北麓、海拔4500米的约古宗列盆地。经青藏高原的青海、四川、甘肃，黄土高原和鄂尔多斯高原的宁夏、内蒙古、陕西、山西，华北平原的河南、山东，注入渤海，全长5464公里，流域面积75万平方公里。因流经黄土高原，所以含沙量过高，经常造成水患。泥沙和暴雨洪水造成黄河下游河床淤积，容易决堤，改变河道。

治理黄河水患都以疏导到海中为最佳方法，而现在因为有运河，黄河的地势已经和以前不同，我们应该想想治理黄河的新办法。”

治河专款惨遭贪污

康熙初年，还没有能力修理河道、修建河堤。加上许多地方官员贪污，为了自身利益，在旱季把河堤凿开，让黄河的水流到自己的农田灌溉。但是一到大水来的时候，又没有填补河堤缺口，就引起河水泛滥，一发不可收拾。地方官员有的上疏给康熙皇帝，向皇上告知这样的弊端，康熙皇帝也派了工部的水利大员永力去勘察实情。

永力一到现场，发现在短短百里之间，竟有开出八条新沟路的状况。就在永力雇请工人去修堤的时候，居然被当地地方官员刘连占怂恿的千名以上群众围攻。刘连占因为自己在卖盐，有船只必须靠运河前往各地，所以把黄河的河堤凿成缺口，方便运输。他当然反对堵住缺口，所以利用无知的乡民，说堵住缺口就是破坏风水。乡民百姓用人海战术，把永力和他的部下团团围住，出手把他们打得狼狈不堪。

永力据理力争说他是朝廷指派来修复河道的，刘连占居然反唇相讥说：“就算皇帝老爷亲自到这里，我也不准他封住河道！”永力就这样被打个半死，连衙门的人也被刘连占收买，不肯主持正义。永力好不容易逃回京城，请工部的长官上疏康熙皇帝，报告高邮县的现场状况。康熙皇帝知道了，怒不可遏，立刻下旨捉拿刘连占，而且就地处斩！

当然对这种事总有正反两种意见，有的人认为康熙皇帝不问刘连占的是非曲直，就下旨斩人，有些不近情理。但是康熙皇帝说，破坏河堤，后果比刀子杀人还要严重。大胆殴打朝廷护堤的命官，更是滔天大罪！可是刘连占一个人仅仅是破坏黄河堤防的千万分之一而已。黄河流经面积广大，到处都有这样的事。问斩刘连占的事，是康熙皇帝想要展现魄力。

康熙皇帝亲政之后的第六年，黄河就发了一次大洪水。河道完全毁损，运河更不用说。连要运到京城的四百万担粮食，也都全部沉到河底。附近的村落民不聊生。这个惨痛的教训，让康熙皇帝下定决心，认为自己如果没有真正地治理好黄河，就不是一个好皇帝。康熙皇帝派出了最好的官员到各地去巡视灾情，汇整黄河泛滥的情况，打算要全面治理。

公元1672年6月，康熙皇帝接到汇报，所以在清口地区筑坝，在七里墩做闸门，在城阳地区围堤，用各种不同的方式解决水患，终于使得京城附近的地方，暂时免于水患之灾。但是其他地方就没那么幸运了，因为江南地区也有水灾，河南地区到处都有堤防溃堤，连山东也变成水乡泽国。

康熙皇帝又派出一位自己最信任的河工王光裕，命他为河道总督，请他到各地去巡视。王光裕才出去几个月，就汇报了不少已经完

工的业绩，让康熙皇帝在朝中大加赞赏，认为河道总督不是浪得虚名，把黄河整治得很好。

偏偏朝中有一位工部尚书不相信王光裕的说词，他向康熙皇帝自请要和王光裕一起前往已经完工的河道检验。工部尚书和王光裕一起去视察完工的河堤，发生了不少笑话，因为王光裕都是虚报，他把朝廷所拨下的修筑河道的专款，都拿去盖自己的花园行宫，自己每天在行宫里享乐，连各地的水闸都找不到半个。王光裕为了要隐瞒自己的贪污罪行，就对工部尚书百般讨好，用山珍海味招待他，找来美女相伴。还好工部尚书都不为所动，悄悄地记录王光裕的言行，并且一路要求巡视王光裕所有的“整治成果”。

工部尚书回京之后，就向康熙皇帝揭发河道总督王光裕的罪行，气得康熙皇帝立刻下令将王光裕解职，并押送回京处理。

任命靳辅治理水患

因为河道整治工作不能停下，所以康熙皇帝很快又任命安徽巡抚靳辅为河道总督，继续为黄河泛滥的治理工作努力。靳辅升任为河道总督之后，他向康熙皇帝提出一个特别的要求，就是想找已成阶下囚的王光裕会面。因为是新官的要求，康熙皇帝也就答应了。他在另一个房间垂帘旁听。

靳辅问王光裕说：“你在河道已经任职多年，请你告诉我经验吧！”王光裕心想，反正他都已经关进大牢了，就直截了当地说：“整治河道和带兵打仗不一样！因为这是吃力不讨好的工作，水利工作无名无利，洪水就像毒蛇猛兽，一泄千里，百姓的稻田粮食都被冲毁了，我们这些河道官，没半点苦劳，不是撤职，就是人头落地！”

靳辅回应说：“听你这样说，我也可能像你一样，会变成为阶下囚。”“也不尽然！”王光裕说，“因为我们的资历如天壤之别，也许皇上会特别重用你！你以前带过兵，建过大功。如果让我重新选择，我想宁可带兵赴战场打仗，也不想再做整治河道的工作了！”靳辅问：“这话怎么说？”王光裕回答：“带兵打仗披盔带甲，功名显赫，靳大人原本就带兵，何必来蹚这滩浑水？我自己在河道工作，每天一身污泥，没人过问，一旦决堤泛滥成灾，不分青红皂白，马上就被抓进大牢！”

康熙皇帝听了王光裕的话，再也忍不住了，他走出来说：“有你这样的贪官，河道怎能治好？你在任内，吃喝玩乐，贪污建行宫，现在你不是无名无利，你算是‘名利双收’。你的‘名利双收’，就是臭名满天下。大家都知道你治水不力，让老百姓受苦，让百姓的生命财产受到损失。而你的利已经都被自己享受光了，一个河道总督，还盖了一个像皇宫一样的行宫，这要贪污多少朝廷银两呀！现在你居然不知悔改，还要靳辅不要上任！”

靳辅连忙跪地请求说：“启奏皇上！微臣一定尽快上任去整治河道！出任水官，绝不能草菅人命，请皇上送我一把枷锁，一副镣

镑，以便我可以随时告诫自己，好好地做好份内的事，不贪不取。”

康熙皇帝果真答应了他的要求。王光裕对此嗤之以鼻，他说：“何必在皇上面前装圣人，装腔作势，卖弄清廉！”靳辅说：“现在我只是想让你作证，我靳辅除了一心为朝廷效命，绝不会贪取非分之财，否则下场和你一样。”靳辅告别了康熙皇帝，就到江苏赴任了。他带着枷锁、镣铐上任的消息，传遍了朝廷和百姓，大家都想看看他会如何做河道总督。

靳辅一到工地，立刻展开访问调查，不论是地方士绅还是贩夫走卒，只要他们提出的意见，是和修筑河堤有关的，就立刻做记录。他到处虚心请教，思考整治河道的方法。另外他也亲临各个淹水地区，研究前代的治河方法，以及利弊得失。经过两个月以后，他终于决定了整治计划。他写了《经理河工八疏》呈交给康熙皇帝。《经理河工八疏》中有五项工程和三项保证措施。康熙皇帝一拿到靳辅的报告，立刻交由议政王会议讨论。

根据靳辅的计划，要花费朝廷二百一十多万银两，要雇请工人三十二万人。另外还要有巡逻官兵五六千人，这样的计划可以说是非常庞大。许多朝廷大官纷纷提出不同看法。有的人觉得不必浪费钱去修堤，有的人对靳辅必须花费如此多的银子，非常不以为然，觉得这么多钱，不知道会不会又制造出第二个王光裕。

康熙皇帝裁定不可以不建或是缓建。但是他要靳辅再重新估算，看看可不可以节省经费。消息传到靳辅的耳中，他立刻专程由江苏回到北京，希望能亲自和朝廷中的大臣辩论或说明。他说这样的工程关系到百姓的安危，不可以这样讨价还价，也不能不做。康熙皇帝为了百姓的生计，咬紧牙关批准了靳辅的计划。

靳辅有了经费，但是时间紧迫，他必须在三年内完工。漫长的河道，艰难的工作，正等待他去实现。

靳辅治水有成效

靳辅在这一千多个日子，不眠不休，连自己的妻子都不曾看过一眼。他的父母在这段期间过世，他连奔丧都没去，心中所想的就是要把黄河整治的工作完成。他自己的感觉是比带兵打仗还要苦。

很快三年就过去了。朝中大臣们睁着大眼，想要看看靳辅所约定的工程完工了没。那些原先就反对这项工程的人，更是幸灾乐祸，并且把他比喻成王光裕，认为三年一到没有完工，就该进大牢。靳辅心知肚明，所以在没有回朝廷之前，他已经自请处分，让皇上革了他的职。由于皇上知道黄淮地区的河川整治不是那么简单，所以虽然把靳辅革了职，但还是让他领导整个工程。

过了一年又两个月，靳辅终于把黄河的水导入了大海，大见成效，让那些有异议的大臣们不敢相信。大家还称靳辅是“水利之父”。和黄河导入大海的工程一起进行的还有清口工程、高家堰工程、清水潭工程、川仁堤工程、皂河工程等等，也都完工了！康熙皇

帝看到这样的成果，非常高兴。

但是因为黄河的水并不是人工可以控制的，所以经常会有小地方溃堤，需要修补，因此靳辅又陷入大家检验的眼睛，在朝廷中又开始有人检举靳辅贪赃枉法。像左都御史魏象枢就认为：“靳辅用掉朝廷中的钱数百万两，河道才刚清好，说是可以一劳永逸，为何现在又马上要钱修堤？”康熙皇帝对靳辅是十分信任的，所以他就自己为靳辅辩护：“一切都因天气干旱或是下雨过多，这不是靳辅可以控制的！”虽然有皇上可以撑腰，但是靳辅依旧是大家议论的对象。

靳辅不想为难康熙皇帝，就自己上疏请求朝廷派人去巡视他所做的工程。这样不但可以洗刷他的冤屈，也可以让朝中大臣不再议论纷纷。康熙皇帝派了户部尚书、左都御史等四人一起去巡视。没想到他们都还没有离开京城，就有一位候补的布政使崔淮雅写了二十四条控诉靳辅河道工程的缺失。这样的说法让靳辅非常难堪，但是左都御史相信布政使崔淮雅的说法，不但否定了靳辅修筑河道的功绩，而且还要将他治罪。他们将靳辅的治水功绩全盘否定，并且又规划出另一套治水办法。

康熙皇帝再怎么信任靳辅，也难敌“三人成虎”[1]的说法。户部尚书、左都御史等这帮人，一再地说靳辅工作不力、浪费朝廷银两，他们甚至要靳辅自己拿钱修补。康熙皇帝又拨款给靳辅，要他在雨季

1　原意指三个人谎报集市里有老虎，听者就信以为真。比喻谣言多人重复述说，就能使人相信。

来临之前，快快修复缺口，以免让百姓受苦！

康熙皇帝私下又请内阁学士席柱去看看河道的工程，借着席柱的观察，康熙皇帝已经知道靳辅勇于任事，并不相信那些传闻，所以大臣们那些对靳辅不利的批评，康熙皇帝都还会思考一下，不会一下子就下论断。

内阁学士席柱对康熙皇帝说："启奏万岁！靳辅大人治水辛劳，三四年间都不曾回家一趟，连生病也待在工地督工，他已经操劳过度，废寝忘食，现在黄河的水患已经被靳辅治好了，所有的河水都已归到旧道，再也不怕水灾了！"康熙皇帝知道朝廷中有一大部分人对靳辅不满，所以对于内阁学士席柱的报告并没有面露喜悦，因为他知道只要自己又赞美靳辅，恐怕会给靳辅带来更多的麻烦。

不过因为靳辅治水有功，地方的百姓、运米粮的官差，都觉得河运畅通，节省了不少时间。康熙皇帝就让他将功补过，恢复了他河道总督的官职。

康熙二十三年，公元1684年，康熙皇帝为了鼓励靳辅治水，决定要到南方巡视。康熙召见靳辅，说："朕知道黄河之水年年酿成灾祸，所以要治水也不是一朝一夕可以完成的。我今天来视察，就是要知道各地的情形。"靳辅已是满面皱纹、两鬓霜白的人了。康熙又一次说："你辛苦了！但是你不能倒下，黄河的水可以向东流去，你却万万不可西去呀！我们的河道工作还需要你！"靳辅向皇上说："托皇上的福，老臣不求有功，但求无过！"

康熙皇帝微服出巡

康熙皇帝南巡[1]的时候，只有少数亲近侍卫知道康熙的真正身份，其他人根本不知道他是谁。因为微服出巡，康熙皇帝更能看到真正的老百姓的生活。

有一天，康熙皇帝来到河岸看工人在筑堤，他顺口问了一个老人说："你说是皇帝大还是百姓大？"老人说："我们这辈子谁也没见过皇帝，他整天在宫里吃吃喝喝，还不都是我们这些百姓奉养的，你说是谁大？"康熙皇帝喜欢这样自在说话的民间百姓，因为没有利害关系的凡夫俗子才会讲出真心话。

康熙皇帝指着靳辅说："这个水官大，还是皇帝大？"老人说："他可是一位禹爷爷再现呀，他治水的功力，恐怕是从大禹治水之后的第一人，他的官虽小，人却大！一天到晚忙着为老百姓修堤筑水道，没有一点架子！听说呀！听说这个大好官还常受到奸臣昏官的打压呢！不知道当今的万岁爷有没有长眼睛。"康熙皇帝身边的人一听到老人讲的最后那句话，差点就要把他抓起来问罪。还好康熙皇帝使个眼色，让他们别这么做。康熙皇帝只是微笑着说："就是所谓的天高皇帝远嘛！"

康熙皇帝还从这些做工的百姓口中知道，他们来工作一分钱都

1 传说康熙共南巡六次，为了考察水利建设。康熙皇帝南巡因为安全及各种护卫需要，所以动员一行成千上万的人，也是常有的事。

拿不到，因为有钱的要出钱，没钱的按家庭人口数“捐工”，所以他们尽管是做了一整天苦工，也拿不到钱。康熙皇帝说：“朝廷拨下来的钱，也应该要发给百姓当工钱，养家糊口！不该是那些不肖之徒利用权力中饱私囊。治水为的是百姓的万代幸福，前人种树，后人乘凉，我们现在辛苦一点，老百姓就会得到幸福。”因为大家都不知道康熙皇帝的真正身份，所以康熙皇帝也借着跟百姓直接谈话，知道了一些平民百姓的想法。

过了一天，康熙皇帝一行人又经过清河县、淮安府，沿着运河南下，一直到高邮湖才停了下来。康熙皇帝看见水里全都是田芦，觉得很不可思议，就问两江总督说：“这里都是高高的田芦，堵住了水道，到底是怎么回事？”

两江总督王新命一时也答不上话，靳辅就对皇上说：“高邮一带河堤并没有缺口的现象，但却是水灾不断，年年饥荒，确实需要好好地勘察，否则就不知道问题在哪里。”康熙皇帝对靳辅说：“好吧！我再一次微服出巡，看看问题到底出在哪儿。”

两江总督王新命听令之后，立刻找了一处祠堂，邀请地方士绅以及地方的小官和有名望的老人一起集思广益。这次康熙皇帝扮作“新任的江淮水官”出现在高邮地区。当他问到田芦的事时，大家都说那些田芦不知道从什么时候开始就已经在水中，盘根错节几千里，茂密杂生，堵住黄河的河道，也无法铲除耕作，每年一有大水，就积在这个地方酿成灾祸，汪洋一片，不知如何是好！

“新任的江淮水官”问大家说：“难道你们都没想想办法把这些田芦除去吗？”当地的老人说：“我们也想过办法，但官府不帮忙，光靠我们的力量根本没法子呀！”又有另一人说：“每到夏秋两季，河水泛滥的时候，我们就逃命去了，在这里恐怕会淹死人呢，更不必说会有收成了！”康熙皇帝听到这里，不禁感叹是自己的地方官无能，没能照顾好老百姓，所以才会变成这样，他说：“清除高邮的田芦不能再延误，一年除不完就除两年，两年除不尽就延长为三年，一直到除完为止！”

王新命迫不及待地说：“如此庞大的资金，不知找谁去要！”靳辅就接着说：“我们可以上疏皇上，请朝廷拨一些银两，另外县库、省库各分担一些，如果我们此地的士绅豪门老爷肯帮忙，大家有钱出钱有力出力，很快就会有足够的资金来处理这些田芦了！”一位地方官很坦白地说：“当今皇上真的肯给这笔银子？听说靳辅大人疏通河道遭到奸臣诬告！现在我们这里又要钱，皇上会准许吗？”他们的想法是：说不定连上疏的奏本都送不到皇上手中呢！

“新任的江淮水官”说了自己的意见，他说：“天下事没有像解决水患那么重要的！救灾如救火，怎么可以延误呢？”大家听这位“新任的江淮水官”的口气真大，却不知他到底是谁。“从今天起三天之内由县衙起草，半个月内送到两江总督批阅，一个月内向皇上上疏，在最快的时间内募集资金，高邮县的田芦要在这一个旱季全

部清理完毕！”康熙皇帝又说：“谁延误了时间就找谁问罪，谁推卸责任就提头来见！”

康熙皇帝就是这样一路上走走停停，找出黄河沿线地区哪些该做的工事。他还说如果不是必须在乾清宫早朝，他也可以和大家一起在这儿修筑河道，因为把河道工程完成，老百姓才会有好日子过。康熙皇帝体会到河工和靳辅的辛劳，他告诉靳辅说：“百姓都能安心耕种，才是河工完工之时。”他还亲自题了一首诗，送给靳辅。诗中的意思是说，靳辅忙着做河道整治，非常辛苦，希望靳辅继续努力，才可以真正让百姓有好的生活环境。靳辅得到皇上的赏识和信任已经不是第一次，不过他还是含着泪水对皇上说：“臣唯有鞠躬尽瘁！”

水患不绝、长期整治

又过了一年，康熙皇帝又要靳辅完成大大小小的几处工程，像是石闸坝、减水闸等等，还造了石造的石堤。本来康熙皇帝的水利工程都以是否可以用水路运输为主，现在却都是以老百姓的生计为考虑标准。

靳辅在皇上心目中是治水第一人，什么水利工程第一个就想到他，这也成为最大的伤害，因为他成了众矢之的，只要黄河、淮河一有灾难，所有忌妒他的官员就准备好奏折要参他一本。而靳辅本人也因治水一下遭革职，一下又复职，一下戴罪立功，一下又成为皇上跟前的红人。但是靳辅光明磊落，做事认真负责有担当，他曾说：“微臣宁愿撤职、坐牢，甚至杀头，也不愿看到河堤被冲垮的危险，这样对百姓的生命财产就没有尽到保护的责任了！”

因为黄河之水不是凡人可以左右的，谁能预料天下多少雨？谁能预料上游的泥沙有多少？所以河床整治、河道疏浚、河堤建造，每年都有不同的工事。

康熙皇帝虽然任命过许多河工主事，但他心中的第一人选还是靳辅。可是其他臣子也都有不同的看法，因此对靳辅来说，既要治水，又要防范别人的诬陷，真是吃力的工作。

有一次明珠和余国柱为了靳辅也被参了一本，分别遭到降职及减俸。因为奏折上说明珠包庇靳辅，所以也受到降职。还有许多赞成靳辅治水的人，也都受到处罚、解职。靳辅的命几乎和黄河的水灾脱不了关系。其他人虽然推举了许多河工，且在皇帝面前讲得头头是道，但是到现场又一无是处，不知道如何治水，反而又要请教靳辅。康熙皇帝的反反复复，说明了他的心急，也证明了黄河之水对大清来说，的确有如毒蛇猛兽！

终于在一次水患之后，靳辅被康熙皇帝革职了，连他的部属大小官员也一一被革职。新任的水官甚至主张靳辅所做的工程都应该要废弃重做，这样才能真正保证工程的质量。靳辅的工程被破坏，连同漕运都有困难，朝廷中的官员只会拍马屁，一知道靳辅被革职，

大家都赞成把靳辅所做的工程打掉重做，这可惹火了康熙皇帝。

康熙皇帝发布了一道口谕说：“数年以来，河道不曾冲毁，漕运的船只也不曾有误，这都是靳辅的功劳。现在大家都说要把靳辅所做的工程打掉重做，大家认为这样做就对了吗？”

现在新任的水官，都是另外一批人，他们的作为，又回到中饱私囊的方式，因为有做没做，皇上没有亲临视察也不会知道，如果真的被发现了，再说是被大水冲走了就没事了！所以新任的水官慕天颜贪污了两千万两的银子，盖了一座“水母宫”，专门给河工官员休息娱乐之用。“水母宫”内每天山珍海味、美女相伴，奢侈豪华，真的犹如皇宫一般，比当年王光裕有过之而无不及！康熙皇帝并不知道他拨下去治水的银两，遭到如此的挪用。

后来慕天颜奢侈浪费的事情，终于被康熙皇帝知道了。康熙皇帝气得当庭谕令，捉慕天颜回京审理。康熙皇帝心中有了觉悟：“原来治水要先治人呀！让慕天颜这帮人当道，再多的银两，也会被蛀成空洞、贪污一空！”这下子康熙皇帝又想到了靳辅，他一心想要靳辅再回任水官，但是他被康熙革职了好多次，靳辅治水九年，还好都没被判死刑，否则康熙皇帝怎么还能找到人呢？所以康熙皇帝自己也不好再提出要他复职的事。

聪明的康熙皇帝又想到南巡。康熙皇帝请靳辅和于成龙随行，这样就能就近命令行事，而不必在朝廷中任命，又被众臣反对。康熙皇帝在第二次南巡中，靳辅提出整治河套的做法，他认为在黄河最急流的地方，就近挖几条大的河沟，一方面可以引水灌溉，另一方面也可以使急流的地方减缓流速，减少水患的次数，这样就不至于常常淹没农田。

康熙皇帝在南巡的过程中，处处听到百姓颂扬靳辅的治水功劳，因为他的努力，农田不再淹水，船只也很好航行，这可是康熙皇帝亲眼所见、亲耳所听，他在心中对这位三起三落的朝廷命官，有一些亏欠，但因为他身为皇上，所以不想随便更改意见。

在一次朝会中，又有人指证王新命贪污舞弊，使得河道整治又变成撒钱的游戏，康熙皇帝一气之下又把王新命撤职，他在朝廷中拉下老脸，对着文武百官说："靳辅被革职是本人的错，今按照他原先的官位，恢复原来的官职，担任河道总督。"康熙皇帝知错认错，这对于靳辅来说，真是一个天大的恩宠。靳辅想以自己年老体衰来拒绝任命，但是康熙皇帝不准。

康熙皇帝说："朕身为皇帝，应知百姓之苦，这些年来，朕为了统一疆土，年年征战，所耗兵力军费不知有多少。但是修筑河道，远比战争来得辛苦，因为不仅要耗费人力、银两，还要与天争道，发了大水遭了水灾又要重新做过。无奈的是水官一年比一年少，努力工作不贪不取的如凤毛麟角，连朕都烦到白了头发！"

靳辅听到皇上所言，知道其中的意思，也就不敢婉拒。但是靳辅是真的已经老了，他在奉命于山西督运救灾粮食的时候，已经病倒了，但还是不忘工作。他对前来探望的妻子说："我一生都在治

水，却治不了我一身的病！”靳辅勉力工作，没把自己的病痛放在心上，最后还完成了筑河堤之后的赋税问题。他亲自计算赋税，以便让百姓得到最大的优惠。

靳辅本人是天下人皆知的河道总督，但是在去世之后，大家却发现他自己连一间房子、一块田地都没有，连他妻子住的房子，都是向他的兄长借住的。原来他所赚的钱、所领的俸禄，有的都支给河工安家之用，有的拿出来施舍穷困的人。靳辅两袖清风，廉洁一生。

康熙皇帝对于靳辅的去世非常伤心，他特派皇子前去慰问。康熙皇帝下旨悼念，为他安葬，还特别礼遇他的家人。康熙皇帝说：“靳辅乘鹤归去，却留给后人许多教训，凡是在朝廷任职的人，都要像他一样勇于任事，不可沽名钓誉。河道整治重要的是找到合适的人，不是一味增加官员。大家都看到了靳辅的功劳，他对水利的贡献，已经有了定论！”

康熙皇帝失去靳辅之后，又找来几个水官，但都不尽理想。所以康熙皇帝从靳辅的治水理论中，自己也想到了一套治水方法。他不厌其烦，再一次南巡，大力修改清口地区，拆毁不必要的拦坝，“引水归江”，自己督工，完成不少水利工程。康熙皇帝因为曾经和西洋的传教士学习数学和科学，所以更能掌握河流的特性，自己在河道整治上也出了不少力。

康熙皇帝五十岁生日的时候，他诏颁全国：“四海奠安，生民富庶，而河工事又告成！”从这句话可见得康熙皇帝对于治理河务的坚持和期待，也了解到他的伟大。

康熙皇帝和汉文字

治国必先学汉文

满清用的是满文，所以康熙皇帝的母语是满洲的语言。但是因为太皇太后的远见，认为要统一庞大的汉民族，就应该自己先学会汉文。所以康熙皇帝从小就接受儒家的思想教育，读四书五经，练习中国传统书法。

康熙皇帝在年轻的时候初学书法，几乎是“每日写千余字”，如果不是后来一直有征战、平定叛乱的事让他停下书法的练习，他流传下来的书法作品可能更多。也有传说康熙皇帝以书法用人，如果奏折中的书法写得很好，就有升官的机会，能官运亨通；如果写得不好，也就别想升官了。

满洲人是阿尔泰语系的南支一族，所以连命名的方式也很特别。例如多尔衮、顾八代、明珠、索额图、和珅等等，多、顾、明、索、和都不是他们的姓，那都是他们满文的第一个字，音好像汉字里某个音节的字。他们各家的姓氏是“爱新觉罗”、“伊尔根觉罗”、“瓜尔加”、“那拉”、“赫舍里”等等。由于他们是以音来取名，小孩出生也常用动物或植物为名；或者是以排序老大、老二等为名，几乎没有一个制度可循。例如清太祖努尔哈赤的儿子，名叫褚英、代善、莽古尔泰、皇太极、阿巴泰、多尔衮、多铎等等，除了他们自己，谁也不知道叫这些名字的男子是一家人。

康熙皇帝因为尊重太皇太后，很多事情都让太皇太后做主，所以他的儿子也是取满文的名字。后来到了康熙二十年的时候，康熙皇帝正式将前面所出生的儿子全部改名，连同后来才出生的皇子，全部以汉文命名，名字的中间一个字保留相同，第三个字取“示”字旁。康熙皇帝分别将皇子命名为胤禔、胤礽、胤祉、胤禛、胤祺、胤祚、胤祥等等。这样的命名制度是因为他重视汉人的制度，甚至连他的孙辈，他也一起编列好第几代要如何命名。从这样一个实例中可看出康熙皇帝汉化的程度。

康熙皇帝知道自己统治的国家是一个汉民族的社会。他想要这些汉人把头发剃成和满族一样的发型不知已经花了多少年的工夫，如果真的还要他们一起学满文，岂不是又要天下大乱了？康熙皇帝深知要统治中国，必须要崇敬儒家，笼络人心，钳制人民思想，为了大清的永续，康熙皇帝不仅自己读了许多的汉书，也要求自己的下一代能够做学问，特别是儒家的学问。

二皇子胤礽在两岁的时候就被册封为太子，他四岁的时候，康熙皇帝就亲自教他读书。胤礽在六岁的时候，康熙皇帝就为他找来了老师，有张英、李光地等大学者来教胤礽读书。康熙皇帝为了要皇子读书，除了自己的畅春园之外，还盖了一座“无逸斋”要他们用功读书，“无逸”的意思是不可以有一天的玩乐。皇子的老师们，对于教这群天之骄子也是很谨慎，唯恐康熙皇帝到无逸斋来测试。皇太子每天一大早就到无逸斋读书，背诵《礼记》、《书经》、《中庸》、《大学》等等，而且要一字不漏，因为康熙皇帝会到现场来抽背。

而康熙皇帝自己爱读书，是天下人都知道的事。多年来都有一些饱学之士来为他讲学，他对这些讲学的老师非常客气。但是讲学之人如果想要利用古文的解释，来歌颂康熙皇帝，绝对不会得到任何好处。因为康熙皇帝希望老师的讲章要符合实际。尽管有许多大臣对康熙皇帝的书法大加赞誉，例如说：“皇上的书法结构严谨，笔法超拔，神化之妙，难以名状。”但皇上对赞美他的人并没有好脸色，只是回答说：“朕日理万机，学书法只是闲暇的练习，如果说朕的书法写得好，那是因为我也下了苦功！”

康熙是勤学君王

康熙皇帝是中国历史上少见的勤学君王。他常常对别人说：“朕八岁登基，就知道要随时做学问。朕常常早晚诵读，不论寒暑，常废寝忘食。”康熙皇帝确信，读书一定要持续不断，不可以想停就停。有时候天气酷热，讲师们建议放几天假，康熙皇帝当然不准。连三藩之乱在征战的时候，军事重要，康熙皇帝也觉得不能中断讲学，偶尔生病一两天，或是自己过生日，他也认为要来书房读书，不能间断。

康熙十年开始，皇帝在饱学之士的协助之下，在日后十年之间，他确实读了不少书，而且有深度地从事研究。举凡《论语》、《大学》、《孟子》、《中庸》、《书经》、《诗经》、《资治通鉴》、《易经》等书，几乎全都读过。他常对大臣说：“朕在宫中，手不释卷。”他博览群书，勤读经书、儒家的经典。

康熙皇帝读书有特别的方法，也有特别的目的。因为他从读书当中，得到乐趣和实用性。他每两天都让讲官向他讲学一次，而他自己也讲出心得和讲师们辩论。经筵日讲[1]一般的进行方式是讲官们事先拟好讲章的内容，然后再讲给康熙皇帝听。康熙皇帝认为这样单方面的讲课方式应该改进，所以他问讲官们：“读书要求实学，若不询问、重复，只是听讲，那有用吗？”所以后来改为：皇上先讲一次，再由讲官进讲。有时候，他也表示，自己的某种书籍已经读完了，应该提出心得和大家讨论。

康熙皇帝的一生和书结下不解之缘，他除了读书之外，著述也不少，而他修纂的书更多。康熙皇帝在三十岁的时候，大臣们就建议

1 汉、唐以来帝王为讲论经史而特设的御前讲席。元、明、清三代沿袭此制。经筵制度是有关中国古代社会最高统治者教育的一项制度。

竹影横
窗知
茗香入
觉春来窗

把康熙皇帝历年来写的文章，还有他在读书时候谈论的心得，集结成一本书，这是康熙皇帝的第一本著作。

康熙五十年之后，对于修书的兴趣大增，所以也把自己所作的诗文，交给大臣整理，日后命名为《清圣祖御制文集》，也就是康熙皇帝把自己在每次有国家大事发生的时候，有感而发写下的七言或五言诗集结成集。这些创作也补足了正史以外观察康熙的好材料。

由于康熙皇帝喜爱读书，有心研究，他对各地方的方言习俗、山川风物、鸟兽虫鱼、药材草木都会认真观察，加以记录。他的这些心得也编成了《康熙几暇格物编》。他对各地可以种植什么，不能种什么，也有很完善的记录。康熙皇帝甚至知道中国的农作物南方和北方都不相同，也知道南方的农田会发生蝗虫灾害。当然他对于气象水利都有经验，自己也能够判断是否有灾害，因为他向西洋人学过科学常识。康熙皇帝去东北的时候，也知道黑龙江附近有火山土质，知道在蒙古发现了瀚海中的螺蚌壳田，所以判定大沙漠远古时代也有可能是海乡泽国。这些都是康熙皇帝知识的呈现！

著书立说兴扬汉学

康熙皇帝在他就位五十年之后，几乎每日以修书为乐，以武英殿管事大臣的记录，知道他当年刻书、印书、翻译书、装订书，样样都管。在三年多的时间里，武英殿出版的书至少就有《性理大全》、

《御选唐诗》、《河图洛书注释》、《性理奥》、《新经说》、《避暑山庄诗》、《历代诗集年表》、《朱子全书》、《两汉文件》、《几何原本》、《诗韵》、《周易本义》、《周易折中》、《周易》、《数表根源》等数十种。其中《周易》、《数表根源》是西洋人的翻译作品。

康熙皇帝还编撰了一些传世之书。例如：《古今图书集成》、《子史精华》、《全唐诗》、《佩文韵府》、《骈字类编》、《广群芳谱》、《律历渊源》、《清文鉴》、《康熙字典》等等。《古今图书集成》是他命令三皇子胤祉和蒋廷锡、陈梦雷等人主编的，全书一万卷，是仅次于《永乐大典》[1]的一部书，真是一个浩大的工程。

《康熙字典》在康熙五十五年修成。集历代辞书的优点，收的字最多，字音字形、注音译释等等都比以前完备。而且编排得井然有序，查阅方便，是一项文化大工程。

康熙皇帝修书不是只有挂名出风头而已，他是真正地到大学士的工作书房参加意见讨论。有时候是别人编好送来文稿，康熙皇帝还会逐字逐句地讨论。他重视考据，没有通过他询问的书是不准出版的。康熙皇帝关心并督导大清每一本书的出版工作。

《全唐诗》集合了唐代近两千人、四万多首诗汇集而成。这些诗词全部以楷书写刻，别具风格。如果不是康熙皇帝让官方做这么庞大的收集工作，这些历史悠久的文章，早就失传了。

---

1 《永乐大典》是明朝永乐年间出版的书，可以说已经把之前各年代所出版的经史子集作过一番编辑并出版。

其实顺治皇帝在位时就已订立的“慕华制”[1]，因为康熙皇帝的辅政大臣担心满清的固有传统被汉化，所以干脆就抵制汉化，不再尊重儒家。还好在康熙亲政之后，把权力从辅政大臣手中抢回来，然后又继续推动他自己的理想。

满洲人在明清之际，是汉人眼中的“边夷”。清太祖努尔哈赤[2]还曾经是大明的关外将领。由于汉人认为天下所有事都以汉人为中心，所以当满洲人真正入关统治中国时，汉人社会的知识分子所受到的冲击真的是无法想象的。战争带来的动乱，百姓心里的不安，都影响到汉人的文化变动。

清朝初年，那些明末的学者如黄宗羲、王夫之、顾炎武等等，并没有心甘情愿地向大清投降，他们还用很严厉的口吻说：“天下之治乱，不在一姓之兴止，而在万民之忧乐。”意思是说要顾到大众的需要，不是只有少数的人喜欢就好了。他们又提出：“天下之大害者，君而已矣。”直接点名批判国君，认定他们是国家的大害。

清朝从入关之后，就开始注意反清复明的势力。所以在顺治年间，顺治皇帝就以尊孔崇儒为表面上安抚汉人知识分子的政策，不

1 顺治皇帝偏好汉文及汉族的制度。到康熙当上皇帝时，朝廷中有一股极强的顽固旧势力反对让康熙过早地接触汉文化，防止玄烨走上他的父皇顺治皇帝的老路。但孝庄太后和康熙都力主学习汉制，吸收汉文化。

2 清太祖努尔哈赤是满清的缔造者。原本是明朝建州女真部的首领，因为比较靠近汉人的生活区域，而兴起南下的动机。他有剽悍的骑兵，但抵不过明朝将领袁崇焕的大炮，所以他并没有入关当皇帝。历史上称他为清太祖。

过并没有真正实施。所以汉人的思想家、读书人，仍然不愿意诚心服从满清，觉得自己是被异族统治了。但是到了康熙皇帝的时期就不同了。康熙自幼饱读诗书，他深知要治理汉人的社会，唯有先尊重汉人的思想。所以他不得不推行以儒家思想为主流的政策，选择了“程朱”[1]思想为主的理学，作为官方推动儒家思想的一环。

由于康熙皇帝的远见，很快平息了知识分子对大清王朝的不满，他的崇儒思想，也成为文化教育的根本之计。所以康熙皇帝提出“满汉一体”，不管文官武官的任用都一样，而且也公开赞扬儒家思想，研读古书，造就了康熙时代的文化大丰收。汉人都因为康熙皇帝政策的改变，而纷纷投入科举，参加考试，变成了大清的文官，这也是他怀柔政策[2]的重大胜利。

不同思想的“文字狱”

尽管康熙皇帝的慕华政策、怀柔政策都有重大的胜利，但是对于不同意见的人，康熙皇帝也有类似“文字狱”[3]的处理方式。

---

1 程朱指的是理学家程颐和朱熹。尊重理学有别于完全尊孔，对守旧的满清人来说，比较能够接受。

2 以和平手段、施以小恩小惠、通过政治策略、文化策略、加强思想教育等方式笼络其他民族或国家，使之归附或臣服于自己。

3 文字狱是指封建社会统治者迫害知识分子、排除异见的一种冤狱。皇帝和他周围的人故意从作者的诗文中摘取字句，捏造罪名，严重者会因此引来杀身之祸，甚至所有家人和亲戚都受到牵连。文字狱历朝皆有，但以清朝最多。

文字狱这样的案子，在清朝之前就常常发生。有的人会因为一个字、一句话而遭到杀身之祸。顺治皇帝时期，王夫之写出："即使桓温辈成功而篡，犹贤于戴异族以为中国王"，意思是说，不管哪位有贤能的汉人当皇帝，都比拥戴异族当皇帝要好多了。写这么尖锐的文字，顺治皇帝都没有抓他，因为当时才入关，没有时间理会儒士的一些情绪文字，或是以文字来推动反清势力的事情。到了康熙年间，他一方面尊崇汉学，自己也读汉书，但是对于利用文字散播反对满清政府的读书人，却也毫不留情。

康熙皇帝即位不久，就发生了庄廷鑨的"《明史》案"。庄廷鑨是浙江人，他双目失明，希望自己能够效法左丘明编写史书。庄廷鑨的父亲庄允城为了要完成儿子的心愿，就买了一套《明朝诸臣列传》稿本供他参考。庄廷鑨在五年之间，编出一本《明书》，书中有许多对大清不敬的文字。经他人检举之后，康熙皇帝大怒，兴起了一阵腥风血雨的文字狱。处死的人高达二百一十多人，和《明书》有关的所有人，包括刻印、校对，甚至连贩卖的都被兴罪。

康熙二十年七月，又发生另一起文字狱。翰林院侍讲王鸿绪告发湖广地区的朱方旦，上疏的意见说：朱方旦倡导不要有帝王阶级，认为百姓不要分阶级，而且还说记忆是在脑中不在心中，所以不该以思想来判定是非。王鸿绪认为这样的说法会影响朝廷百姓，所以要将他处死。

康熙五十年，又发生了戴名世的"《南山集》案"。戴名世是安

徽人，他在康熙五十八年的时候，已经五十七岁了，但他还以五十七岁的高龄，参加清朝的会试、殿试，并考中了一甲二名，当起了翰林院的编修，可见他对于清朝应该是认同的。但是因为他的学生为了替他祝寿，大家一起写文章编辑成册祝贺老师生日，书名为《南山集》，其中有一位学生写到对清朝正式统治的质疑，认为顺治皇帝不属于清朝的正式统治者，因为那时候明朝皇帝还在，所以清朝的统治正式纪年应从康熙年代开始算。这么写好像是在讨好康熙皇帝，但因为写到顺治爷的事，所以还是不容于当时的朝廷。和《南山集》相关的人，全部都被抓进监狱，但是除了戴名世本人被问斩之外，其他相关人员，就给个下马威而已。

康熙皇帝虽然尊重儒家思想，但是相对地他也希望所有的读书人都能够服从朝廷，对他的皇位、皇家所有的名号、祖先的庙号、谥号，都要尊重而不能批评。康熙皇帝对于自己的王朝统治是积极维护的，但也因为有他的尊儒政策，有他对于汉学的整理和发扬，中华文化才不至于因为“异族”的统治而有中断或残缺。

康熙皇帝的生活小故事

康熙皇帝是中国历史上在位最久的皇帝。他在处理国家大事以及维护国家领土的过程中，不断有战争和各种不同的大事。但是在他在位的六十一年之中，也有一些属于百姓日常生活中不可能出现的事，这些就是“皇家纪事”了。

康熙皇帝生于清顺治十一年的三月十八日。到了康熙五十二年，正好是他的六十大寿。他自己对大臣们说：“从我出生到现在屈指一算，已经六十岁了。我看过历史以来的皇帝一共有一百九十三人，但是能在位这么久的，朕是第一人。”

举办千叟宴

朝廷中的文武百官知道康熙皇帝已经六十岁了，就在各地方官员的策划之下，纷纷表示要到皇宫为皇帝祝寿。这些人当中并非全

部都是当官的，也有许多老百姓、地方士绅。他们来自不同的地方，有的是千里百里之外赶来的。

康熙皇帝担心这些老人水土不服，特别注意他们的健康。在那段祝寿期里，真的有人体力不支晕倒，康熙皇帝也找太医去为这些老人治病。为了体恤老人，康熙皇帝下谕给南书房的翰林[1]说："朕知道来自各地的老人在十七日都集合在西直门外龙棚下，想要和我见面。十八日在正阳门内，要听礼部的安排行礼，若又到龙棚，恐怕因为人数过多拥挤，对老年人不太方便，所以请通知各地来的老人，不必如此跑来跑去！"

等康熙皇帝真正生日那天，他又下令："凡是本身犯罪的官员之外，如果因为牵连或是降级革职的，应该酌情恢复原品。"这也算是皇上给年老官员的恩泽。对已经退休的官员，他送给他们新衣新帽，还赏给老人们银两。九十岁的各赏十两，八十岁的赏八两，七十岁以上的各赏六两，六十五岁以上的赏一两。

因为各地来的老人实在太多了，康熙皇帝于是要御膳房准备寿宴，年龄超过六十五岁的，在三月二十二日、二十三日选择一天赐宴。宴会举行的时候，特地告诉老人们，若看见皇上不必起立接驾，更不必跪拜行礼。寿宴进行之时，康熙皇帝又命令属下，将八十岁以上的老人，搀扶到他的面前，由康熙皇帝亲自招待他们饮酒。因为来为康熙皇帝祝寿的人很多，所以请的寿宴叫"千叟宴"。

1　翰林是皇帝的文学侍从官。

中国历史上，皇宫大摆宴席的记录很多，大部分是因为国家的对外征战有重大的胜利，或者皇宫举办宴会给大官臣子享用，而真正是以老百姓为宴请对象的，而且都是请老人家的，记录中倒没有，所以康熙皇帝的“千叟宴”也成为他亲民爱民的佳话。

打猎是康熙的最爱

康熙皇帝喜欢打猎。满洲人特别重视武功，几乎每个男子都要骑马射箭。利用打猎更能将训练功力落实在平常的娱乐之中。

康熙二十年，康熙皇帝陪同皇太后到遵化温泉，然后他就带着一批侍卫，往北前进到内蒙古的喀尔沁旗，沿途打猎散心。内蒙古的官员知道康熙皇帝喜欢打猎，就送给他一座“木兰围场”。“木兰”是满洲语，意思是“哨鹿”[1]。

木兰围场有一万多平方公里，北边都是一千公尺以上的高原，南面则是地势较低的燕山山脉，境内山势绵延不断，雨量充沛，森林密布，各种飞禽走兽特别多，再加上地形复杂，康熙皇帝特别喜欢这个地方。因为他希望有一个地方，可以训练自己的侍卫骑马射箭的技术，木兰围场正是这样的好地方。

自从有了木兰围场之后，每年秋天，康熙皇帝一定会带着大批

---

1 为了让皇家贵族顺利打猎，就会有兵士穿着鹿皮、假装是野鹿，吹出哨音，引诱野鹿出现，让打猎的人容易看见目标，这就是哨鹿。

的部属来这里训练。除了大清的兵马，蒙古各地的王公贵族也率兵来参加。所谓的“围场”，就是当大家准备好要打猎的时候，先派士兵到很大区域的外围，排好队伍，做成一个大大的人篱，然后从四方渐渐包围，范围愈收愈小。所有被围起来的野兽，只能在愈来愈小的范围内活动。当围场的范围已经可以方便康熙皇帝打猎的时候，就有一群负责哨鹿的士兵，吹起木制的长哨，声音好像雄鹿求偶的声音。接着野鹿或其他动物就会出现，康熙皇帝有时候是自己去打猎，有时候就坐在临时的行宫看着皇太子或大臣打猎。康熙皇帝认为只有这样的训练才能让自己的皇子反应灵敏，骑射进步。

有一次康熙皇帝亲自带着自己的太子胤礽和四阿哥胤禛一起打猎。那年胤礽已经十二岁，身材结实；胤禛才八岁，一副瘦弱的样子，康熙皇帝也疼爱胤禛，因为他知书达礼，样样都肯学。康熙皇帝告诉他这两个皇子：“你们要记住，大清的江山是从马背上得来的，所以要一统江山，就必须学会骑射！”康熙皇帝对自己的皇子当然全力教导，但是对于臣子们的射箭技术也不时关心。

每天狩猎功课完毕，满蒙各组各队就通报他自己猎得的野兽数量，皇帝就论功行赏，并将这些战利品烤来吃。过了二十几天之后，狩猎活动告一段落，大家就参加康熙皇帝的宴会，蒙古人会吹奏乐器助兴，并有摔角比赛表演，气氛热烈。这不仅是一种休闲活动，也是满蒙之间的外交活动。

建热河行宫招待宾客

自从木兰围场建立之后，除了康熙二十一年，因为筹划要到东北打罗刹兵，以及康熙三十五年亲征噶尔丹之外，几乎每年秋天都要举行狩猎，这种看似单纯的活动事实上已经被赋予一个重要意义，那就是安定满清和外族的关系。

每次动员的人数众多，为了减少年年行军的临时支出，在康熙四十二年，康熙皇帝选定了热河行宫[1]的用地。这里占地八千四百多亩，是一处美丽的山城，热河古名武烈河。在热河建立行宫，处理在北京城内必须处理的公务，这样一来，出门打猎就不怕延误朝政了。

有了热河行宫之后，康熙皇帝就在这里接见边疆的领袖，又可以避开北京的酷暑，果真是一举数得。康熙皇帝曾经在这里正式接见文武大臣，以及蒙藏回族的王公贵族和喇嘛，山庄中也建有溥仁寺和溥善寺，让康熙皇帝可以就近到佛寺。所以建造这一座行宫，事实上也有笼络、控制蒙古与西藏外藩的作用。

立太子废太子

康熙皇帝自己到底是不是顺治皇帝所指定的皇位继承人？到现

---

1 即承德避暑山庄。中国古代帝王宫苑，是清代皇帝避暑和处理政务的场所。由皇帝宫室、皇家园林和宏伟壮观的寺庙群所组成。

在仍然有两种以上的版本。但是从清朝始祖努尔哈赤建立金政权的时候，并没有规定一定要父传子，而是由有权的贵族议政讨论公推一个圣贤的皇族担任。所以当顺治皇帝临死的时候，他还想指定自己的堂哥继承王位，但是并没有如他所愿，而是由孝庄皇后出面，借由一群大内忠臣的力量，把康熙变成真正的继承人。不论康熙皇帝对此有什么看法，反正他自己是在年纪轻轻的时候，就已经立下“储君”[1]，不希望他人觊觎皇位。

康熙的第一个儿子是在康熙六年所生，但不是嫡长子。他的正室赫舍里氏生下一个男孩，名叫胤礽，生于康熙十三年，但因赫舍里氏产子之后就死了，所以康熙皇帝非常悲痛，对胤礽也就特别溺爱。康熙皇帝在胤礽两岁的时候，就册封他为皇太子，这是康熙十四年的事。

康熙皇帝立了东宫太子之后，希望能把胤礽训练成为一个文武双全的接班人，所以对他的生活教育以及读书都非常用心，康熙皇帝甚至每天还亲自教他读书。康熙皇帝为太子请了很多老师，每天上课的时候，康熙皇帝也会抽空到书房，亲自要皇太子背诵经文古籍给他听，每天还排了满蒙汉文等课程，还兼有打猎骑射。康熙皇帝还时常带他一起出巡。在康熙三十五年，康熙皇帝亲征噶尔丹时，胤礽就代替康熙皇帝处理朝政。康熙皇帝在外的时间很长，胤礽也

1 原本是汉人的一种父传子的世袭制度，为了不让大权旁落，或是皇子之间的竞争杀伐，先预立储君，让旁人无法抱非分之想。所以大清也开始了储君制度。

都能切实地做到将朝政处理妥当。

康熙四十七年，皇帝突然向大家宣布，说胤礽“不法祖德，不尊朕意”，所以取消了胤礽的太子头衔。因为胤礽的私生活不检点，纵情酒色，又勾结大臣，结党营私，让康熙皇帝非常愤怒。康熙取消了胤礽当太子的资格，却意外引发一场太子之争。一些有野心的皇子，就在这一段期间，互相勾结有实力的大臣，结党结派，笼络有力的太监打听消息，互相揭发弊端。这样的行为让康熙皇帝无法忍受，所以在不到半年的时间，康熙皇帝又将胤礽的太子名号还给他。

这位天真的太子，并没有因此得到教训，不去修补他和父亲之间的关系，反而一心一意地希望他能早一点继位，和他父亲的关系非常恶劣。终于在康熙五十一年的十月，康熙皇帝又一次废了太子。这次他再也没有给胤礽机会，还好并没有把他逐出宫外。

胤礽当了太子将近四十年，却没有机会登上皇位，当然自己也有一些缺点。例如他本身对自己的兄弟并不友善，以及豢养一批想要夺权的内臣。但最麻烦的是朝廷的两大党派，相持不下，造成这一结果。胤礽曾经把蒙古送给康熙皇帝的马匹，当成自己的礼物，随意使用。又把自己乳母的丈夫指定为内务府总管，方便他自己想拿什么东西就能拿什么东西。康熙皇帝认为胤礽都还没有当皇帝，就那么有私心，实在有点不合适。

康熙皇帝在年少时自己培养了两个贴身侍卫索额图和明珠，后来这两名侍卫升为大臣，地位崇高，但不幸的是这两个人都卷入政

治纷争。索额图是胤礽的外叔公，和胤礽的关系极为亲密。偏偏明珠不甘示弱，一定要和索额图一较高下，所以也培养了另一派人马，因为他不希望自己是胤礽接任皇帝之后的冤死鬼，所以就先揭发胤礽及其部属想谋反的事，让康熙皇帝生气地撤换了太子。

再说康熙皇帝的立储方式，是以汉族的仪式进行的，很多根深蒂固的满族元老，非常不满，认为为什么要丢掉老祖宗的那一套，而去学习汉民族的方式。所以大家对于其他皇子当中有比胤礽更有才华的，也就开始为他们抱不平。觉得为什么满清的天下，要交给一个并非十全十美的太子。

康熙皇帝在位六十一年，又有众多的子孙，照理说，他应该是一个幸福老人。可是因为立储废储的事，让他痛苦万分。尤其后来十四皇子的兵权大增，他也害怕自己的势力被威胁，所以就干脆把他派到西北去打仗，让他远离皇宫。加上自己的儿子为了名位自相残杀，使他不知如何是好，这些事成了他生命当中的一大缺憾。

亲自批阅公文

康熙皇帝的臣子每天照例要参加早朝，住在外地的官员就只能用奏折或书信来向康熙皇帝报告了。由于中国土地广袤，所以有些贪官污吏写来的奏折依旧是粉饰太平，加上康熙皇帝自己曾经微服私访，或者听其他的钦差大臣报告，所以康熙皇帝对于这些奏折就不那么信任了！他的感觉是自己被蒙在鼓里，所以他希望建立一套他和臣子之间的书信往来方式。

明朝以前的奏折可能都要送到一个地方集中管理，再送交皇上批阅，但是在明朝之所以会变成太监宦官当政，主要就是奏折先送到那边，宦官有时候将意见不同的奏折收起来不给皇上，或是堆积公文，这样一来，皇上所得到的消息反而是二手消息。

康熙皇帝希望收到的奏折是以公事为主，废话少说。但是当奏折开始有欺瞒的行为时，康熙皇帝就利用宠信的臣子暗中为他写报告，写报告的人越多，康熙皇帝的信息就越发达。臣子写给他的报告一定要封起来加锁，没有第二个人可以拆信，如果封条上发现有撕开过的痕迹，康熙对这封奏折就一定不再看。

康熙皇帝看过奏折也一定加以批阅，让每个官员都相信自己受到皇帝的宠信。康熙皇帝曾经任用李煦在畅春园做大总管。后来又派他到江南工作，李煦一直不断地向康熙皇帝打小报告，说些地方粮价、科场弊案、总督和巡抚的不和，或是地方上的一些小事。

曹寅也是跟皇帝打小报告的能手。年轻时代的曹寅曾经当过康熙皇帝的伴读，所以也是康熙皇帝相当信任的一个人，他在康熙二十九年以后，到苏州江宁任织造，又到两淮任巡盐御史[1]，康熙不

---

1 织造和巡盐御史，这两项工作都是很重要的职务，通常由皇帝的亲信来担任。织造，顺治十八年开始设三处织造处，专门制造官服；巡盐御史，就是盐官。盐是重要物资，所以盐官是收入多的官职。

断要他写报告，希望他把一些别人所不知道的秘密写到北京来。但是如果不是靠这一批打小报告的人，有一些事康熙皇帝还真的完全被蒙蔽着，包括后来胤礽太子被废之前的密谋事件，也都是因为有小道消息，康熙才得以了解真相。

康熙皇帝在接到奏折之后，也会用朱砂笔简洁明了地写一些评语，他最常写的字是："览"、"知道了"、"所奏的是"等等。康熙皇帝为了要自己和大臣之间有一个很通畅的沟通渠道，所以要求所有的臣子要自己写奏折，不但可以保密，而且还可以知道这个人的书法造诣。在什么地方可以看出康熙皇帝对于保密之重视呢？有一阵子，康熙皇帝曾经右手痛到不能写字，他就用左手批阅，绝不假他人之手，他批过的奏折一定又封起来送回原处，所以如果有第二个人知道，那一定是那个人自己泄密的，这是康熙皇帝最聪明的地方。

康熙皇帝又要顾及身份，又要臣子为他密报，所以在回复问题的时候就会有一些奇怪的感觉，所幸这些都只是一来一往的奏折。他鼓励大臣为他打小报告，甚至牵涉到一些别人的隐私，其实不是一国之君该有的作为，不够光明磊落。但是在朝中所奏，有的人就会先揣摩圣意，就失去了厚道的准则，大家不敢和康熙皇帝有不同的意见，那又何必开会呢？

康熙皇帝的遗诏

康熙皇帝因为自己在位的时间很长，所以有许多事情都预先立好书面旨意。以下这篇文章是康熙皇帝的《遗诏》[1]，对于我们认识康熙皇帝是一手好资料。我们一起来看看：

从来帝王之治天下，未尝不以敬天法祖为首务。敬天法祖之实，在柔远能迩，休养苍生，共四海之利为利，一天下之心为心，保邦于未危，致治于未乱，夙夜孜孜，寤寐不遑，为久远之国计，庶乎近之。

今朕年届七旬，在位六十一年，实赖天地宗社之默祐，非朕凉德之所致也。

历观史册，自黄帝甲子，迄今四千三百五十余年，共三百一十帝，如朕在位之久者甚少。朕临御至二十年时，不敢逆料至三十年。三十年时，不敢逆料到四十年。今已六十一年矣。《尚书·洪范》所载："一曰寿，二曰富，三曰康宁，四曰攸好德，五曰考终命。"五福以考终命列于第五者，诚以其难得故也。今朕年已登耆，富有四海，子孙百五十余人，天下安乐。朕之福亦云厚矣。即或有不虞，心亦泰然，念自御极以来，虽不敢自谓能移风易俗，家给人足，上拟三代名圣之主，而欲致海宇升平，人民乐业，孜孜汲汲，小心敬慎，夙夜不遑，未

1 康熙皇帝于康熙六十一年十一月十三日，公元1722年12月20日驾崩。朝廷随即向天下百姓发布他的遗诏。这份遗诏收录在《大清圣祖仁皇帝实录》中。

尝少懈，数十年来，殚心竭力，有如一日，此岂仅“劳苦”二字所能该括耶？

前代帝王，或享年不永，史论概以为酒色所致，此皆书生好为讥评。虽纯全尽美之君，亦必抉摘瑕疵。朕今为前代帝王剖白言之。盖由天下事繁，不胜劳惫之所致也。诸葛亮云：“鞠躬尽瘁，死而后已。”为人臣者，惟诸葛亮能如此耳。若帝王仔肩甚重，无可旁诿，岂臣下所可比拟。臣下可仕则仕，可止则止。年老致政而归，抱子弄孙，犹得优游自适。为君者勤劬一生，了无休息之日。如舜虽称无为而治，然身殁于苍梧；禹乘四载，胼手胝足，终于会稽。似此皆勤劳政事，巡行周历，不遑宁处。岂可谓之崇尚无为，清净自持乎。《易》遁卦六爻，未尝言及人主之事。可见人主原无宴息之地，可以退藏。鞠躬尽瘁，诚谓此也。

自古得天下之正，莫如我朝。太祖、太宗初无取天下之心。尝兵及京城，诸大臣咸云当取。太宗皇帝曰：“明与我国，素非和好。今欲取之甚易。但念系中国之主，不忍取也。后流贼李自成攻破京城，崇祯自缢。臣民相率来迎，乃剪灭闯寇，入承大统。稽查典礼，安葬崇祯。”

昔汉高祖系泗上亭长。明太祖一皇觉寺僧。项羽起兵攻秦，而天下卒归于汉。元末陈友谅等蜂起，而天下卒归于明。我朝承席先烈，应天顺人，抚有区宇，以此见乱臣贼子，无非为真主驱除也。凡帝王自有天命，应享寿考者，不能使之不享有寿考；应享太平者，不能使之不

享太平。朕自幼读书，于古今道理，粗能通晓。幼年力盛时，能弯十五力弓，发十三把箭。用兵临戎之事，皆所优为。然平生未尝妄杀一人。平定三藩，扫清漠北，皆出一心运筹。户部帑金，非用师赈饥，未敢妄费。谓此皆小民脂膏故也。所有巡狩行宫，不施彩绘。每处所费，不过一万金，较之河工岁费三百余万，尚不及百分之一。

昔梁武帝亦创业英雄，后至耆年，为侯景所逼，遂有台城之祸。隋文帝亦开创之主，不能预知其子炀帝之恶，卒致不克令终，皆由辨之不早也。

朕之子孙，百有余人。朕年七十，诸王大臣官员军民，以及蒙古人等，无不爱惜朕年迈之人。今虽以寿终，朕亦愉悦。至太祖皇帝之子礼亲王、饶余王之子孙，见今俱各安全。朕身后，尔等若能协心保全，朕亦欣然安逝。雍亲王皇四子胤禛人品贵重，深肖朕躬，必能克承大统。著继朕登基，即皇帝位。即遵典制，持服二十七日释服。布告天下，咸使闻知。

康熙皇帝在遗诏中说："自从当了大清的皇帝以后，一直都敬畏天地，遵从祖先的规矩来为百姓工作，以天下的利益为先，以百姓的利益为考虑。"（作者按：并非全文逐句翻译，只是选取和本书相关的文字分享。）

"回顾历史，自从黄帝之后，到现在已经有四千三百五十多年，一共有三百一十个皇帝，像我一样在位那么久的很少。我在当皇帝的第二十年，不敢想第三十年的事，到了第三十年的时候，也不敢想第四十年的事，结果现在居然已经到了第六十一年了。

“《尚书·洪范》[1]说：能长寿、富贵、平安、修好德以及能到老才死，这是最好命的人。我现在年事已高，是个富有的人，子孙多达一百五十人，天下安乐太平，所以我算是一个好命的人。

“我当皇帝以来，虽然不敢说移风易俗，但至少我已经做到让百姓安居乐业，数十年来，我每天都兢兢业业地工作，也不是劳苦二字可以概括的。

“以前的皇帝有些比较短命，史书一概认为是因为爱好酒色，这也都是书生的胡乱批评。其实是因为天下事情繁复劳累致死。诸葛亮说，要鞠躬尽瘁，死而后已。做臣子的也只有诸葛亮这样而已，但做帝王的却无所逃避。当臣子的虽然也很辛苦，但到年老的时候，还可以退休在家抱孙子，优游自在。但是当皇帝不一样，劳累一生，到死为止。

“自古以来，以最正派的方式得到天下的，就是我大清皇朝了。因为太祖和太宗，起初并没有统一天下的计划。但是许多大臣都说应该要取得天下。太宗皇帝还说：‘我们和大明朝，本来就不和，要攻下明朝是很简单的事。但是明朝是中国的主人，所以我们才不想取代它。可是流寇李自成攻北京，崇祯皇帝自杀，我们是受百姓欢迎

1 尚书篇名：《洪》、《大》、《范》、《法》、《规范》。传说是商末周初时期，箕子向武王陈述治理天下的大法则。

才攻进北京的，赶走闯王李自成，安葬崇祯皇帝之后，才继承大统。'

“我在幼年时就喜欢读书，所以知道天下的一些道理。年纪稍长，也能弯弓射箭，所以后来到战场去打仗，也非常勇猛，但我一生并没有随便杀一个人。我平定三藩，肃清漠北，都是用心的盘算。户部的钱如果不是为了用兵或赈灾需要，我不会随便动用，因为这是人民的血汗钱。我住的行宫，都很简朴，花费不多，最多是一万两，比起我拨款支出修建河堤的三百万两，还不到百分之一。

“我知道以前的梁武帝因为没有提早安排继承人，所以年老了，被逼下台。隋文帝不知道儿子炀帝是个坏胚子，结果不得善终！

“而我现在年纪大了，各位大臣都喜欢我，包括蒙古等地方的人民也都喜欢我，所以我现在如果死了，我也没有遗憾！尤其是太祖以下的子孙，都有一个地方可以安享天年，享受大清的福分，希望大家同心维护大清的江山。

“我的四皇子雍亲王胤禛，他人品正直，很像我的风范，他一定能像我一样把大清治理好，所以由他继承皇位。等他服孝二十七天以后，就可以登基当皇帝了！”

当然，这篇诏书的真假，是历史学家的事。

康熙皇帝是不是真的要传位给“第四子”或是“十四子”？关于此有不少的传说。不过我们知道他的四皇子胤禛，确确实实是一个好皇帝，他的雍正王朝[1]跟他父皇的康熙王朝比起来，也毫不逊色！

1 雍正皇帝在位十三年，他勤政、严格，为大清树立起明快的政府运作模式。最重要的是改变中国西南地区的世袭土司制度，收归中央官员管辖，让大清的版图更加完整。

康熙皇帝重要纪事

公元年份	皇帝纪年	大事纪	相关事项
1654年		三月八日出生	父爱新觉罗·福临，母佟氏。康熙皇帝名玄烨，是顺治皇帝的第三子。
1656年			二岁多，迁出宫外“避痘”，被天花折磨，命在旦夕。乳母孙氏极力保护。
1662年	康熙元年	郑成功亡	辅政大臣：鳌拜、遏必隆、索尼、苏克萨哈。
1663年	康熙二年	生母逝	
1665年	康熙四年		自己选明珠、索额图为布库。
1667年	康熙六年	亲掌政权	与赫舍里氏大婚。
1668年	康熙七年	采用《时宪历》	废除《大统历》和《回历》，信任洋人南怀仁。
1669年	康熙八年	擒拿鳌拜；派使节到沙俄求和	五月秘密擒拿鳌拜，密设陷阱，命小太监与八旗少年在南书房擒拿权臣鳌拜。 颁诏见三藩。
1673年	康熙十二年	噶尔丹自立为汗	三藩之乱起。
1674年	康熙十三年	皇太子胤礽出生	派兵抵达云南。
1675年	康熙十四年	平蒙古察哈尔	

1676年	康熙十五年	福建耿精忠投降	十月，福建耿精忠在清军进攻下，被迫投降。
1677年	康熙十六年	广东尚之信投降	闽、粤以及江西都先后平复。
1678年	康熙十七年	吴三桂称帝改元	诏修明史。 八月，吴三桂死，其部将迎立其孙吴世藩继位，退居云贵。此后，清军先后收复湖南、广西和四川。
1681年	康熙二十年	平三藩之乱；陪太皇太后到遵化温泉；建木兰围场	清军攻破昆明，吴世藩自杀。维护了国家的统一。 七月，下诏“以施琅为福建水师提督，与将军总督等统率舟师进取澎湖、台湾”。
1682年	康熙二十一年	康熙到沈阳谒陵	封琉球国中山王。 康熙到沈阳谒陵。九月，派萨布素、彭春以捕猎为名北上侦查罗刹兵。
1683年	康熙二十二年	施琅攻台湾	封安南王。 施琅率领战舰三百，精锐水师二万，进攻澎湖。郑克塽派人乞降，清军进驻台湾。

1684年	康熙二十三年	第一次南巡水利工程	清政府在台湾设一府（台湾府）三县（台湾、凤山、诸罗），隶属福建省。
1685年	康熙二十四年	清军攻雅克萨城	
1686年	康熙二十五年	清军再攻雅克萨	垦首施东之子施世榜，利用浊水溪的河水，开始建设台湾。
1688年	康熙二十七年	白晋（耶稣教会教士）晋见康熙	春，噶尔丹对喀尔喀蒙古发动了突然进攻。在清政府的帮助下，噶尔丹暂时退兵。
1689年	康熙二十八年	签订《中俄尼布楚条约》	康熙南巡。 俄国因内外问题一时无力在东方大规模用兵，希望议和，被康熙接受。双方签订《中俄尼布楚条约》。
1690年	康熙二十九年	亲征噶尔丹	噶尔丹在沙俄的支持下，率四万多骑兵，向内蒙古大举进攻。
1691年	康熙三十年		对外国人极为友好。

1692年	康熙三十一年	治水大臣靳辅死	
1693年	康熙三十二年		患疟疾，吃西药奎宁丸，信任西医。
1696年	康熙三十五年	再征噶尔丹	康熙帝为了维护国家的统一和巩固边疆，曾先后于1690年、1696年和1697年三次亲征，打败了叛军。最后，噶尔丹走投无路，自杀死去。
1697年	康熙三十六年	平噶尔丹	
1698年	康熙三十七年	白晋代表清政府晋见法王	
1702年	康熙四十一年	康熙南巡	五十大寿。
1703年	康熙四十二年	建热河行宫	杀索额图。 南巡浙江。
1707年	康熙四十六年	樊守义到欧洲	
1708年	康熙四十七年	治理黄河完成；废黜太子	西洋船只载送葡萄酒。

1712年	康熙 五十一年	遣使至俄	
1713年	康熙 五十二年	六十大寿，举行千叟宴	办“万寿庆典”，感受到百姓真心拥戴。
1714年	康熙 五十三年		西洋教士雷孝思(Jean Baptiste Regis)、冯秉正(Joseph de Mailla)、德玛诺(Romin Hinderer)三人完成了台湾部分的《皇舆全览图》。
1716年	康熙 五十五年	编成《康熙字典》	
1717年	康熙 五十六年	禁传天主教	康熙重病七十余天。
1718年	康熙 五十七年	十四子胤禵西征	派十四子胤禵为抚远大将军，远离宫廷是非。
1720年	康熙 五十九年	远征西藏	台湾遭大地震和凶荒，人心惶惶，谣言四起，以为乱兆，社会动荡。
1721年	康熙 六十年	台湾朱一贵事件起	朱一贵领导反清大革命。五月一日朱一贵攻下府城，清军军宫杨泰见大势所趋，刺杀总兵欧阳凯而投降朱一贵。
1722年	康熙 六十一年	农历十月逝世	第四子胤禛继位，为雍正皇帝。

后记

三十几年前，我参加师专的入学考试，社会科考满分，我以这件事来证明我对历史的喜好。但是我对历史的偏好不止在于读书而已，这几年，每当电视台在演历史剧的时候，我明明知道那只是编剧手下的历史，却还是一看再看，因为我喜欢历史。

联经出版公司要写这一套“影响世界的人”的时候，我选择了康熙。康熙皇帝是一个历史人物，我也必须靠着阅读其他人的著作，以及找参考资料来认识他。在搜集史料的过程中，我发现许多书中的年代、事件有些错误，我当然有一股冲动想要写信去告诉他们，但后来想一想，我应该借此机会尽量避免我写的书犯同样的错误。

在写康熙皇帝这本书的时候，正巧是我向教育工作提出退休的时刻，我从小梦想当一个专业的作家，我想这样的日子不远了！